Weehawken Public Library
49 Hauxhurst Avenue
Weehawken, NJ 07086
201-863-7823
Website: library.weehawken-nj.us

DEMCO

RODZINA

KAREN CUSHMAN

Traducción de Alberto Jiménez Rioja

RODZINA

entre bros

Barcelona

Clarion Books,
a Houghton Mifflin Company imprint.
215 Park Avenue South, New-York, NY1003
© 2003 by Karen Cushman
Título original: Rodzina.

© 2004 Editorial entreLIbros, Barcelona, en lengua
castellana para todo el mundo.
Traducción: Alberto Jiménez Rioja

Primera edición: Octubre 2004

ISBN: 84-9338830-0
Printed in Spain - Impreso en España.
Romanyà-Valls-Capellades, Barcelona.
Depósito legal: B-41.205-2004

Tenía diez años cuando la abuela Lipski me llevó al Cementerio Polaco de Chicago para enseñarme la tumba de su madre. Se paró frente a una lápida con la inscripción *Rodzina Czerwinski* y, mientras yo la observaba, aquella abuela pequeña y fuerte, que no lloraba nunca, se sentó y se echó a llorar.Muchos años después, cuando pensé en escribir un libro sobre una chica polaca de Chicago, decidí llamarla Rodzina en honor de mi tatarabuela. Consulté a mi padre para asegurarme de que la grafía era la correcta, y descubrí que Rodzina no era un nombre de pila sino la denominación polaca de "familia". La lápida señalaba la última morada de *rodzina Czerwinski* o familia Czerwinski.

Rodzina trata de la búsqueda de una familia, y yo decidí que, aunque Rodzina no fuera el nombre de mi tatarabuela, sí lo sería para la protagonista de esta historia. Y así nació Rodzina.

Me gustaría dedicar este libro a mi familia: los Czerwinskis, los Cushmans y los Lipskis, que fueron reyes de Polonia.

ÍNDICE

·1·

CHICAGO, 1881

Una fría mañana de un lunes de marzo, con el sol mortecino pugnando por brillar y el hielo refulgiendo en las grietas de las aceras de tablones, un grupo de veintidós huérfanos, con almidonados trajes nuevos y maletitas de cartón, subió a un vagón especial en la estación cercana al río Chicago. Lo sé porque yo era una de ellos.

La estación era más ruidosa y más caótica que Halsted Street un día de mercado. Viajeros que acarreaban colchones y fardos envueltos con guinga azul me zarandeaban en sus prisas por llegar aquí o allá. Un hombre vestido con una chillona chaqueta roja tropezó conmigo y se disculpó en un idioma desconocido. Me di cuenta de que era una disculpa por sus reverencias y sus sombrerazos, así que le dije:

—No pasa nada, señor, pero digo yo que debería usted aprender un poco de inglés si espera llegar dondequiera que vaya.

Él se levantó el sombrero una vez más.

Una mujer cargada con niños, mantas, una tetera de peltre y un brasero de tres patas, acabó por poner éste sobre el andén, sentarse encima y echarse a llorar. Entendí su estado de ánimo. Yo también experimentaba esa congoja, pero no era miedo; ya había cumplido doce años; no era una cría como Evelyn o Gertie y no me iba a amedrentar por cualquier cosita, pero sí que me sentía apenada. Era todo tan ruidoso, tan poco familiar...

Me abrí paso entre la multitud y me agarré al cinturón que tenía delante. El chico al que pertenecía dijo:

—¡Sujétate bien, Rodzina, antes de que nos deslicemos hacia el río como aguas negras!

Era Spud, a quien conocía del Refugio para Pequeños Vagabundos. Él, Chester, Gertie, Horton, Rose y Pearl Lubnitz, la pequeña Evelyn y yo habíamos estado allí. Los demás venían del Hospital Infantil y del Asilo de Huérfanos que estaba cerca de Hyde Park. Todos éramos huérfanos; huérfanos que llevaban sus posesiones en las manos, zarandeados y empujados como todo el mundo.

Una señora, alta y estirada, vestida con un traje de chaqueta negro y una almidonada blusa blanca, hizo bocina con las manos y gritó pero, con aquel estrépito, no pude oír casi nada de lo que decía. Deduje, al fin, que era del Asilo de Huérfanos y quería que nos pusiéramos en fila. Soltando el cinturón de Spud, me empiné todo lo que pude para verla mejor entre el mar de cabezas. Era delgada y pálida, de expresión malhumorada, y sus ojos grises eran tan fríos y duros como la montura metálica de sus anteojos. Debería haber adivinado que no mandarían a alguien amable y de buen carácter para vigilar un vagón repleto de huérfanos.

Gruñendo y maldiciendo, un hombre bajo y regordete, muy peripuesto con una chaqueta a cuadros y unos zapatos amarillos, se abrió paso entre la multitud.

—¡Vosotros! ¡Huérfanos! —gritó, agitando y bamboleando el cigarro que llevaba en la comisura de los labios—. ¡A callar! Soy el señor Szprot, el agente de colocación de la Asociación de Organizaciones de Beneficencia. Eso significa que yo soy el que manda y vosotros los que obedecéis. Ninguno de vosotros es lo bastante joven como para no ir al infierno. O a la cárcel. ¡Así que, a cerrar el pico y a alinearse!

Después del tiempo que había pasado en las calles, estaba acostumbrada a ser amenazada con los tormentos del infierno, así que eso no me preocupó demasiado pero, de todas formas, cerré el pico. Los otros huérfanos también se callaron y, en silencio, nos dirigimos al tren.

Los trenes silbaban y pasaban con estruendo bajo nuestra casa de Honore Street, pero yo nunca había visto una locomotora tan de cerca, alzándose imponente como el terrible dragón de Wawel Hill, el dragón de la historia que solía contar tía Manya, escupiendo chispas por la chimenea y arrastrando una fila de vagones que más parecía cola de madera y acero. Si hubiera sido más joven o más escuchimizada, incluso yo me habría asustado.

Subir a aquel tren no había sido idea mía. Yo quería ir a casa. Pero ya no tenía casa a la que ir, excepto el Refugio para Pequeños Vagabundos, y ellos me enviaban lejos para ser vendida como esclava. Lo sabía porque un chico de la calle, Melvin, me lo había dicho.

—Ese orfanato embarca huérfanos en tren hacia el oeste —me explicó—. En vagones de carga, sin darles de comer ni nada. Se los venden a familias que quieren esclavos —sacudió la cabeza—. Nunca llegan a buen puerto.

Me pareció muy creíble, así que me lo tragué de pe a pa.

No, lo tenía claro, yo no quería subir a aquel tren pero la multitud de huérfanos me empujó hacia delante. Las largas medias de lana negra que me habían dado en el orfanato picaban de mala manera, así que me paré en medio de la escalerilla de hierro del vagón y me incliné para rascarme las rodillas. Tres huérfanos tropezaron conmigo.

—¡Tú, polaca! —bramó el señor Szprot, con una voz todavía más chillona que su chaqueta—, ¡a ver si no eres tan torpe!

Un chico grande que estaba detrás de mí, me hizo burla.

— 12 —

—¡Polaca torpe-eee! —canturreó—. ¡Zampacoles feee-a!

Sin querer, pero a propósito, balanceé mi maleta y le aticé en la rodilla. Sabía que, con el señor Szprot tan cerca, no intentaría devolvérmela.

Después de subir la escalerilla, miré hacia atrás. Lo último que vi de Chicago fue esa imagen de hollín, hielo y vías de hierro. En esa mañana fría, gris y borrascosa, parecía un lugar muerto, pero al menos me era familiar. Chicago había representado a mamá, a papá y a los chicos. Ahora mamá, papá y los chicos se habían ido, mi hogar se había esfumado y, pronto, también Chicago desaparecería. Me sentí como si saltara de la ventana de un séptimo piso, sin saber si habría alguien debajo para sujetarme. Me rasqué de nuevo las rodillas y, agarrando con fuerza mi maleta, entré.

El vagón tenía unas diez filas de duros bancos de madera, dispuestos a ambos lados de un pasillo central. En el extremo delantero había una panzuda estufa de leña que ahumaba y atufaba sin calentar de verdad. Había ventanillas, por supuesto, pero pronto advertí que las abiertas no se podían cerrar y las cerradas no se podían abrir. En la parte de atrás había un cubo con agua, un cucharón para beber y el compartimento del aseo. Menos cómodo que el Refugio para Pequeños Vagabundos, desde luego, pero más que un portal de Michigan Avenue. Lo sabía porque había dormido en los dos.

Estaba tan lleno de humo que me abrí paso hacia una ventanilla abierta, pasando por encima de Spud y de una cría con la nariz goteante. Delante y detrás de mí, había niños gritando y regañando como si también ellos quisieran conseguir un asiento de ventanilla.

Metí la maleta debajo del asiento. Todo lo que poseía en el mundo estaba en esa maleta: el chal amarillo y rojo de mamá, la estatua de la Virgen que habíamos traído desde Polonia, una gran canica azul con el centro como de fuego que había pertenecido a Jan o a Toddy —nunca supe a cuál de los dos— y una postal hecha a mano por Hulda que decía "Amigas para siempre". Llevaba puestas las botas de papá desde el otoño anterior, desde que dejé las mías no sé dónde, mientras me calentaba los pies sobre los tablones, resecos y calientes por el sol, de la acera. Todo lo demás fue vendido para enterrar a mamá.

El señor Szprot se quitó la chaqueta y el sombrero, y los dejó sobre uno de los asientos.

—¡Cerrad el pico, golfillos! —dijo de mala manera mientras pequeñas venitas azules se marcaban en su calva cabeza de huevo—. Deberíais estar agradecidos por la ocasión que se os brinda de convertiros en hombres y mujeres de provecho. Puede ser vuestra última oportunidad, así que sentaos, estaos quietecitos, y dadle gracias a Dios por vuestra buena suerte.

El cigarro se bamboleaba en su boca mientras hablaba y la ceniza se alargaba pero no se caía.

Por fin nos sentamos todos, con las maletas a nuestros pies, la espalda recta, formalitos y callados. Una niña diminuta que no conocía se sentó a mi lado, y así estuvimos durante más de una hora, esperando a que el resto de los vagones se llenara.

Cuando el revisor gritó por fin "¡Viajeeeeeros al tren!", una multitud se precipitó hacia los vagones, incluida una monja que llevaba a rastras a dos muchachitos desaliñados. Metió la cabeza por la ventanilla, con toca blanca, alas almidonadas y todo, para hablar con el señor Szprot. Los chicos que iban con ella empezaron a zarandearse y a darse empujones gritando a voz en cuello: "¡toma!" y "¡toma tú!". Los recordaba de mis días en la calle: Joe y Sammy se llamaban, rubios como paja de escoba y tan flacuchos que no eran más que huesos pegados con un poco de suciedad. Joe era salvaje, bravucón y vehemente; Sammy era algo más tranquilo pero siempre estaba dispuesto a fastidiar. Si los dejabas juntos, la pelea estaba garantizada.

La monja los empujó para que subieran al vagón y salió corriendo, temerosa, supongo, de que el señor Szprot cambiara de opinión y se negara a llevarlos con nosotros. Nunca antes había visto correr a una monja. Su túnica negra se hinchaba como las velas de un barco, y las cuentas del rosario se balanceaban sobre su hábito. Era una visión espectacular.

—¡Rodzina, vieja nariz de patata! —exclamó Sammy, inclinándose para darme un puñetazo en el brazo—. ¿Te han pescado a ti también?

—Sí, un santurrón nos pescó a unos cuantos y nos llevó a un orfanato. Pero el orfanato no me quería y me ha plantado en este tren.

—¡Ahh! Bueno, no será tan malo. Por lo menos comeremos cuando toque. Basta con que dejes algunas patatas para los demás —dijo con una risita.

Joe le empujó.

—¡Mueve el esqueleto!

Sammy le devolvió el empujón, y así continuaron hasta que la mujer de los anteojos los separó y les obligó a avanzar.

Estaban comiendo patatas cuando los conocí. Acababa de enterrar a mamá y de dejar nuestra casa en Honore Street y no tenía donde ir. Caminando por un frío y ventoso Chicago, vestida con un chaquetón demasiado pequeño y calzada con unas botas demasiado grandes, vi una hoguera en el portal de una iglesia de Michigan Avenue, una hoguera rodeada por un montón de niños, grandes, pequeños e intermedios, pero todos sucios, necesitados y hambrientos. Había un chico que llevaba hojas de periódico envueltas sobre los pies en lugar de zapatos y que se parecía un poco a mi hermano Toddy.

—¿Te importaría decirme —le pregunté— dónde puedo conseguir algo de comer? Tengo muchísima hambre.

Algunos de los chicos me hicieron burla, pero el que se parecía a Toddy dijo:

—¡Ven! ¡Siéntate a la mesa!

Me puse en cuclillas a su lado y él sacó una patata de las brasas.

—¡Eh! —dijo un chico que después resultó ser Sammy— ¡Fíjate en ésa! No tiene pinta de estar muriéndose de hambre, y yo podría aprovechar esa patata mucho mejor.

—De eso nada, es mía —dijo otro. Después supe que se llamaba Joe; intentó agarrarla—. Trae aquí, nariz de patata.

—¡Ya está bien, so golfos! —exclamó el que se parecía a Toddy poniendo la patata en mis manos. Olía tan bien y estaba tan calentita que no sabía si comérmela o seguir sosteniéndola. Al final hice un poco de cada cosa.

Ojalá hubiera tenido entonces una patata, calentita y crujiente, recién sacada de la lumbre. O una taza de sopa con pollo, o... sonó un silbato. Entre una gran vaharada de vapor y una cacofonía de chirriantes gemidos de ruedas de hierro sobre raíles de hierro, el tren se puso en marcha. Los pasajeros que aún quedaban en el andén se apresuraron a subir, pero ninguno entró en nuestro vagón. Nadie quería ser un huérfano. Nadie quería que le metieran en un tren como un saco de harina, ni ser enviado al oeste, hacia un futuro incierto. Era una empresa que, en mi opinión, iba a terminar mal de todas todas, porque nunca nada nos salía bien. No, nadie quería ser huérfano, y nosotros tampoco, pero no teníamos elección.

Llovían chispas, hollín y polvo, así que los que habían conseguido sentarse al lado de una ventanilla abierta se peleaban ahora a puñetazo limpio para sentarse al lado de una cerrada. Era como si todo el vagón se hubiera llenado de Joes y Sammys.

Agarré mi maleta, salté por encima de la niña que compartía mi banco y me apropié de un asiento del lado contrario. Como estaba muy cerca de la estufa, que también ahumaba, nadie intentó disputármelo.

Me quité el chaquetón y apreté la cara contra el cristal, para aprovechar al máximo las últimas vistas de Chicago. Imaginé a mamá corriendo detrás del tren, con los flecos de su chal bailando al viento. "¡Vuelve, Rodzina! —gritaría—. Todo ha sido un error. ¡Vuelve! Te estamos esperando en la casa de Honore Street".

Un cuerpecillo se sentó a mi lado y se apretó contra mí.

—¿Puedo sentarme contigo? —dijo una niña de pelo rojo recogido en una trenza tan gruesa como mi brazo y cara angelical—. ¡Tengo mucho miedo!

¡Repámpanos! Resoplé para demostrar que su compañía no era bienvenida y me puse a mirar por la ventanilla: las vistas no eran gran cosa, primero más ciudad y más vías, después pantanos y praderas heladas.

La velocidad del tren aumentó, y el mundo entero pareció lanzarse hacia delante, zarandeado y sacudido, repleto de la cacofonía de silbatos, ruedas y frenos chirriantes. Pasaron a la carrera escenas que nunca había visto: casas rodeadas por millas y millas de oscuros campos, vacas, caballos, ríos, y arroyos de agua clara y helada. ¿Dónde estaban los tenderos, los buhoneros, las tabernas, las iglesias, los vertederos y los edificios? ¿Dónde compraba la gente el pan, dónde encargaba los sombreros? ¿Dónde *se habían metido* todos? Por lo que podía ver, me daba la impresión de estar en la luna.

La intrusa que se sentaba a mi lado interrumpió mis reflexiones con un suave golpecito en el brazo.

—¿Cómo te llamas? —preguntó.

Le dediqué la expresión maligna que denomino cara repelente, esperando que eso pusiera fin a sus preguntas.

Podía tener unos siete años; era guapa, pequeña y delicada, con el pelo del color de la torta de especias y una sonrisa muy dulce. Supe que cualquiera que la mirara le tomaría cariño: la odié al instante. Yo era grande, grande para doce años y aumentaba día a día; casi tan alta como papá, que era muy alto, y casi tan robusta como mamá, es decir: muy robusta.

No había crecido echando en falta lo que no tenía, excepto una cosa: quería ser guapa. Cuando se lo pregunté a mamá, ella respondió: "Ser buena es ser guapa, Rodzina", la tía Manya añadió: "¿Qué es eso de guapa? Tienes manos grandes, espalda fuerte y buena dentadura. ¿Qué más quieres?"; papá se limitó a sonreír y afirmó: "Eres más que guapa. Te pareces a mí".

La niña me dio suavemente con el codo.

—Yo me llamo Lacey. ¿Y tú?

—Rodzina Clara Jadwiga Anastazya Brodski —dije sin mirarla. No me apetecía que pensara que podíamos ser amigas o algo así. Sólo quería que me dejara en paz, que todo el mundo me dejara en paz.

—No creo que pueda acordarme. Te llamaré Ro.

—No me llames Ro, me llamo Rodzina.

—Yo me llamo sólo Lacey. Nada más. Sólo Lacey. Soy huérfana.

"¿Y quién no lo es en este vagón?", pensé.

Sentí que me temblaban los labios, pero estaba decidida a no soltar el trapo. Las lágrimas no solucionaban nada. Lloré el día que murió mamá. Seguí llorando durante mucho tiempo, sentada en el destartalado porche de madera de nuestra destartalada casa de madera, con las lágrimas congelándoseme en las pestañas y las orejas tan frías que me dolían. Lloraba por mamá, muerta prematuramente a causa de las fiebres tifoideas. Lloraba por papá, al que mató un caballo encabritado en los establos y al que enterraron en el gran Cementerio del Sagrado Corazón entre Twelfth y Madison; lloraba por mis hermanos, muertos en un incendio; lloraba por Hulda y tía Manya, que se fueron vete a saber tú dónde; pero, sobre todo, lloraba por mí. Estaba sola, hambrienta y muy triste. No recordaba haber sentido nunca esas cosas, al menos no todas a la vez. Papá y mamá siempre habían estado allí, dándome confianza y seguridad, con abrazos, pan y col. Pero ahora me había convertido en una huérfana y estaba sola, y no por llorar iba a cambiar eso.

No le dije ni una palabra más a Lacey; me puse a contemplar el paisaje. Cuando al cabo de un rato volví a mirarla, estaba dormida, con los párpados temblando y el pulgar metido en su dulce y estúpida boca.

Seguí mirando por la ventanilla, asombrándome de todo lo que veía sobre el cielo y la tierra. Era tan diferente de Chicago... Ya lo extrañaba. Echaba de menos sus chimeneas y sus fábricas, la ropa tendida secándose al lado de cientos de pequeñas casitas, el sonido de los tranvías de caballos y el olor de las castañas asadas. Extrañaba a la señora Bergman, que vivía en el piso de abajo con sus doce niños, al individuo que comerciaba con grasa para hacer jabón y al carnicero polaco, cuya tienda, que olía a carne fresca y a serrín, invitaba a entrar.

Si tenía que ser huérfana, hubiera preferido quedarme en el Refugio para Pequeños Vagabundos. Allí había tenido frío a menudo, hambre siempre; me habían fastidiado, me habían regañado y me habían tenido medio prisionera pero, al menos, estaba aún en Chicago y tenía una cama bajo techo. Por lo visto, ellos no cuidaban de los niños para siempre, sino sólo hasta que les encontraban una nueva familia. Yo pasé allí algunas noches, lo justo para recibir un baño frío y una bronca.

—¡No pienso ir, no quiero que me manden en tren al oeste como si fuera un saco de patatas! —le dije a la señorita Hoolihan, mientras ella me abrochaba el vestido nuevo.

—Claro que irás, y eres afortunada por tener esta oportunidad —contestó—. Haces lo que se te ha dicho, pones una sonrisa encantadora y tendrás un nuevo hogar antes de Pascua.

—¡No quiero un nuevo hogar, quiero que mamá y papá vuelvan!

—No podemos hacer milagros.

¡Cómo si no lo supiera!

—Si no puedo quedarme aquí, volveré a vivir en la calle. Ya soy lo bastante mayor para cuidarme sola.

—Ni hablar. Sólo tienes doce años.

—Soy grande para mi edad.

—Y testaruda para tu edad también, pero aún así sólo tienes doce años, y nosotros somos responsables de ti. Por eso vas a ir al oeste con otros huérfanos a buscar un nuevo hogar.

Pero, de cualquier forma, ¿quién de ahí fuera iba a querer desastrados huérfanos de las calles de Chicago? Únicamente alguien que nos quisiera para matarnos a trabajar, ya lo he dicho; me lo contó

Melvin. Y si nadie me quería, ¿iba yo a estar en ese tren de acá para allá, igual que una maleta perdida, de este a oeste y de oeste a este, como una Eterna Viajera que daría vida a la leyenda de Rodzina la Rechazada, cuya historia sería contada junto a las chimeneas y las hogueras, para amedrentar a los niños pequeños? No sabía lo que iba a pasar, pero sí que me sentía muy desgraciada.

Me dirigí al aseo del fondo del vagón. A través del agujero del inodoro pude contemplar cómo pasaba velozmente Illinois. Millas y millas de Illinois.

Volví a mi asiento, y después de mecerme y de dar cabezadas durante un rato, el traqueteo del tren y el torbellino de mis pensamientos acabaron por darme sueño de verdad y me quedé dormida. Cuando desperté, el señor Szprot estaba repartiendo sándwiches de jalea roja y manzanas que sacaba de las grandes cestas apiladas al fondo del vagón. Lacey dormía aún, así que también me apropié de su ración. Me comí los sándwiches lentamente, dejando que la pegajosa dulzura me hiciera cosquillas en la lengua, y le guardé una manzana.

—Señorita Brodski —oí que decía alguien. Miré a mi alrededor y al fondo del vagón descubrí a la señora del Asilo de Huérfanos, mirándome y asintiendo. Me dirigí hacia ella.

—¿Sí, señorita? —pregunté.

Ella frunció el ceño, los ojos grises tan fríos como la niebla del lago en un día de febrero.

—Señorita no, doctora.

—¿Doctora? —pregunté; nunca había oído hablar de señoras doctores—. ¿De verdad?

—No importa. Siéntese —dijo señalando el asiento que estaba a su lado. Me senté. Olía levemente a jabón y a ropa recién planchada—. Hay más niños aquí de lo que esperábamos. El señor Szprot tiene a su cargo los chicos mayores, pero yo soy responsable de los demás y no puedo con todos haga lo que haga. Por eso me encargaré de los más pequeños —miró hacia un montón de niños de unos dos o tres años que dormían juntos, acurrucados unos contra otros en los bancos que había frente a ella—, y usted cuidará a los demás: Horton, Gertie, Chester, Spud, Mickey Dooley, Sammy, Joe y Lacey, la niña que está sentada a su lado. Confío en usted para que estén limpios, alimentados, tranquilos y en el lugar adecuado en el momento preciso.

Psiakrew! (¡sangre de perro!), como decía la tía Manya. Yo lo único que quería era que me dejaran en paz.

—¿Por qué yo?

—Porque usted es la mayor.

¿Era lo bastante mayor como para cuidar huérfanos pero no era lo bastante mayor como para cuidar de mí misma? No le veía el sentido por ninguna parte. Hubiera querido decirle: "Confíe en otro y a mí déjeme en paz", pero no lo hice. No quería que me odiara, sólo que me dejara marchar. Lo único que respondí fue:

—Sí, señorita.

—Doctora —contestó mirando de nuevo el libro que tenía en las manos.

Me giré para volver a mi sitio y me di de bruces con un chico que estaba de pie en el pasillo.

—¡Le ruego que me perdone!, como dijo el condenado al juez —exclamó; era esmirriado, de cara pálida y pecosa, tenía orejas de soplillo, le faltaban los dientes delanteros y uno de sus dulces ojos marrones miraba arriba, al infinito, mientras el otro se movía inquieto como queriendo abarcarlo todo.

—¿Quién eres? —pregunté contemplando como se desplazaban sus ojos de acá para allá, de arriba abajo, sin detenerse sobre nada ni un solo momento.

—Mickey Dooley, para servirla —contestó quitándose su gorra de lana marrón y dejando al descubierto una mata de pelo color naranja. Pero naranja, naranja de verdad. Naranja zanahoria.

—Huérfano, repartidor de paparruchas, y un genuino saco de risas. Encantado de conocerte —señaló la ventanilla—. Y hablando de conocer: ¡cielo santo! ¡Mirad esas ovejas!

Un grupo de chicos, que estaba detrás de él, se arremolinó junto a la ventanilla.

—No son ovejas, son búfalos —dijo Joe.

—¡Son alces! —exclamó el rechoncho de Chester, sonriendo con su sonrisa torcida.

—¡¡Son antílopes!! —gritó Spud balanceando su cabeza llena de rizos amarillos.

Habiendo vivido cerca de unos establos casi toda mi vida, sabía que una vaca era una vaca en cuanto la veía pero no tenía ganas de discutir. Debía ocuparme de los chicos, pero la señora doctora no había dicho nada sobre ilustrarles. Pasé a trompicones por el pasillo y me dejé caer en mi asiento.

A la hora de la cena el tren se detuvo y algunos pasajeros bajaron a tomar algo. A nosotros nos dieron más sándwiches de jalea y más manzanas; no había manos de cerdo en gelatina, ni carne asada, ni torta de pasas, pero era comida. Mi estómago gruñía como un perro hambriento; se podía oír claramente, no había otro ruido en el vagón, excepto el gorjeo de la risa de Mickey Dooley y los lamentos de Gertie a propósito del dolor de su hombro, de un dedo del pie, de la rodilla o de cualquier otro sitio. Los demás estábamos sentados en silencio con nuestra hambre, nuestra incertidumbre y nuestro sándwich de jalea.

Lacey se había vuelto a dormir, así que después de comer mi sándwich, me comí la mitad del suyo y reservé las manzanas por si luego me entraban ganas. Sabía que me entrarían. Siempre tenía hambre. Me encantaba la comida. Papá solía decir: "Los polacos son los únicos que escriben poemas de amor a la comida". Yo sería poeta, como mi padre, y escribiría versos a los rollitos de col con salsa de tomate, a los arenques en vinagre y a las rosquillas con jalea que tomábamos cada año en el día de Pascua.

Después de cenar, el tren reinició la marcha. Lavé caras y manos, y ayudé a Horton y a Gertie a limpiarse las narices. Gracias a mis hermanos, tenía mucha experiencia con narices chorreantes y otros detalles del cuidado infantil, pero eso no quería decir que me gustara. Tampoco es que lo odiara, exactamente, todo hay que decirlo. En general, se me daban bien los niños.

La señora doctora y yo bajamos mantas de los portaequipajes y las repartimos porque en el vagón empezaba a hacer frío. Los huérfanos se acurrucaban unos contra otros para darse calor; se hacían un ovillo junto a chicos a los que habían ignorado durante el día. Algunos lloraban con sus pesadillas, otros gemían o gruñían. Yo me senté en silencio, envuelta en una áspera manta verde.

Las lámparas de gas titilaban en la oscuridad, haciendo bailar las sombras sobre las paredes y las ventanillas del vagón. Una vez se helaron los pantalones de papá, que estaban colgados en el tendedero de la parte de atrás de nuestra casa, y él los hizo bailotear como a una marioneta. Eso fue hace mucho tiempo, cuando papá aún reía y bromeaba, antes de darse cuenta de que en Chicago no había sitio para un poeta polaco.

"Los americanos —dijo una mañana, al dirigirse a su trabajo en los establos— no son gente leída". Recordarlo me hizo sonreír, y me dormí acunada por el balanceo del tren.

•2•

EN ALGÚN LUGAR DE ILLINOIS O DE IOWA

La quietud me despertó poco después del amanecer: el tren estaba parado. Se veían unos descoloridos edificios de madera y un depósito de agua; esperé que aquel lugar patético no fuese el oeste.

No lo era. Sólo era un pueblucho en el que el tren se había detenido para cargar agua. Unas mujeres con mandiles a cuadros y botas embarradas subieron al tren para vender leche y pastelillos; el señor Szprot compró unos cuantos para nuestro desayuno. Pocos, a mi entender.

Congregué a las niñas pequeñas para hacer una visita al cubo de agua a efectos de librarlas de los restos de desayuno que les quedaron en la cara y las manos. Al pasar por el asiento que ocupaba la señora doctora, el tren se puso en marcha con una sacudida y Gertie dio un traspié que la obligó a agarrarse a la señora para no caerse.

—¡No me toques! —gritó ella quitándose de encima las manos de Gertie. ¡Repámpanos! Tanto

— 29 —

escándalo por un poco de pastelillo y unas gotas de leche en la falda.

Ayudé a Gertie a enderezarse, le arreglé el pelo y el lazo del delantal, y la guié de nuevo hacia el cubo de agua.

Entonces ella, la vieja señorita Nometoques, dijo con tono impaciente:

—Rodzina...

Me paré y dejé que Gertie continuara sin mí. Estaba acostumbrada a que la gente pronunciara mal mi nombre, pero quería tratar a señorita Nometoques tan mal como ella había tratado a Gertie.

—Se pronuncia *Rodzina* —la interrumpí; hice ese sonido entre D, G y Z que parece que sólo las bocas polacas son capaces de hacer, similar al sonido de la CH en *chica*, *chiflado* o *chimenea*, pero sólo similar, no igual. La señora doctora parecía un abejorro con su Rod-zzzzzz-ina.

—¿No es eso lo que he dicho: *Rodzina*?

—No, usted a dicho *Rodzina*. Se pronuncia *Rodzina*. *Rod-zi-na*.

Me miró como si fuera un pelo en la sopa.

—Me limitaré a decir señorita Brodski.

Eso lo pronunció bien. Estuve a punto de añadir: "Se pronuncia *Brodski*", diciéndolo exactamente igual que ella, sólo para hacerla rabiar un poco más, pero no quería tentar a la suerte, así que me limité a asentir.

—Señorita Brodski, espero que de ahora en adelante cumpla mejor su cometido: debe mantener a esos niños limpios, tranquilos y alejados de mí —sacó un pañuelo almidonado de su bolsillo y comenzó a frotar la mancha de su falda—. Ya tengo bastante que hacer con los más pequeños. Puede irse.

Quité migas y leche de las caritas usando el agua del cubo y frotando un poco demasiado fuerte, debo admitir, pero yo no había elegido esa tarea. Después de que los niños ocuparan sus asientos, me senté a mi vez para sufrir un día más de traqueteos. Lo único que se veía por la ventanilla era más de Illinois, Iowa o dondequiera que estuviéramos.

Lacey fue al aseo y, al cabo de un rato, regresó a su asiento con Spud, Sammy y Joe pisándole los talones.

—¡Oh, Ro! —exclamó.

—Rodzina —dije yo.

—Hemos estado mirando los caballos por la ventanilla —explicó—. Los he visto de todas clases: negros, blancos y negros, uno marrón, y uno bebé —se balanceó en su asiento unas cuantas veces—. ¡Espero ver una mo!

—¿Una qué?

—Una mo. Ya sabes, de las que se saca el mohair. Para los abrigos de las señoras y así.

—¿Quién te ha dicho eso?

—Spud. Dice que el pelo de caballo se saca de los caballos y el mohair de las mos.

Los chicos se echaron a reír y empezaron a patalear.

—¿Y eres tan tonta que te lo crees?

Sus ojos se llenaron de lágrimas.

—No soy tonta. Sólo soy lenta. Los del Hospital Infantil dijeron que era sólo lenta, y que me vendría muy bien ir al oeste y trabajar para mi manutención.

—¡Claro —gritó Spud—, es tan lenta que a su lado las tortugas son rápidas!

—Tan lenta como un reloj escacharrado —dijo Sammy.

—Más lenta que una tortuga muerta —añadió Joe.

Patalearon de nuevo y se desternillaron de risa.

—¿Qué quieres decir con eso de lenta? —pregunté a Sammy.

—Ya sabes: tonta de remate.

Me di la vuelta. Ya era bastante malo compartir mi asiento con Lacey y lavar su cara pegajosa, ahora resultaba que encima era tonta de remate. ¿De verdad esperaban que alguien quisiera una huérfana tonta de remate?

La única persona tonta de remate que había conocido en mi vida era Cabeza de Chorlito Weber, que fregaba el suelo de la tienda de golosinas. Algunos niños le tiraban piedras, pero mamá no dejaba que yo lo hiciera. Mamá siempre era amable con ella y me obligaba a llamarle Clarence en lugar de Cabeza de Chorlito.

Supuse que a mamá le gustaría que tratara bien a esta niña y que no la llamara Cabeza de Chorlito ni me riera de ella. "Lo prometo, mamá, pero no esperes que seamos amigas ni nada parecido".

—¡No soy tonta de remate! —gritaba Lacey, con la carita roja como un tomate—. ¡Sólo lenta!

—A mí me parece que algunos son tontos de remate y otros simplemente feos: como ellos —dije señalando a los chicos—. Debes dar gracias por no ser como ellos.

—¡Yo no lo soy! —protestó Joe levantándose y blandiendo el puño delante de mi cara.

—Sammy —dije—, haz que tu hermano se comporte como es debido.

—¡Joe no es mi hermano! —contestó Sammy.

—Me da igual. Haz que se esté quieto.

Lacey y yo les dimos la espalda, perdidas en nuestros pensamientos. Los chicos se dieron empellones y se rieron por lo bajo durante un rato hasta que se aburrieron. Después se sentaron en el suelo, calentándose la espalda con la estufa, y Spud sacó una baraja de su bolsillo. Empezaron a jugar al póquer, apostando huesos de melocotón y canicas en lugar de dinero. También apostaron insignias de la campaña de James A. Garfield, carretes de hilo sin hilo, trozos de anteojos y cualquier cosa que llevaran en los bolsillos. Supongo que las apuestas en sí eran más divertidas que el póquer, porque poco después Sammy lanzó un desafío:

—Apuesto a que puedo contener la respiración más tiempo que cualquiera de este tren.

—Yo apuesto a que en aquel matamoscas hay pegadas lo menos cincuenta moscas —dijo Joe.

—¡Pues yo puedo contar hasta cien antes de que pase otro árbol, me la juego! —gritó Chester, uniéndose a los otros, y más canicas y cachivaches pasaron de mano en mano.

Me dio la impresión de que se podría haber encontrado a alguien con quien apostar sobre si el sol iba a ponerse o no aquella noche.

Los jugadores berrearon y chillaron, y el jaleo que armaban se unió a los chirridos, pitidos y demás ruidos en una especie de cacofonía que parecía una marcha tocada por una banda de monos dementes.

Un revisor, viejo y enclenque, entró para comprobar cómo iba la estufa; gastaba unas tremendas y peludas orejas que sobresalían a ambos lados de su gorra de visera y mientras trabajaba no dejaba de silbar. Me levanté y fui hacia él.

—¿Cuánto falta para llegar a Grand Island? —pregunté. La señorita Hoolihan había dicho que ésa era la primera parada para los huérfanos.

—Bueno... tres días o así —contestó rascándose una de sus enormes orejas—. Depende de las veces que tengamos que esperar para dejar paso a un expreso; y tardaremos más si nos topamos con ladrones de trenes, con tormentas de nieve, con praderas en llamas, si descarrilamos o si una riada se lleva algún puente.

¿Ladrones de trenes? ¿Puentes destrozados? ¿Tormentas de nieve y praderas en llamas? ¿Me tomaba el pelo o estábamos verdaderamente expuestos a semejantes peligros? Se tocó la gorra a modo de despedida y continuó silbando una tonadilla por lo bajo.

¿Pero qué hacía yo allí? ¿Era un castigo por ser huérfana? Quedaban días y días de la misma miseria: ruido, balanceo, traqueteo e inquietud. No sobreviviría. "Yaceré aquí, en este pasillo —pensé—, y moriré de balanceos, traqueteos y lavados de cara y manos. Y a nadie le importará". Me sentía terriblemente triste.

Volví a mi asiento entre sacudidas y trompicones. Lacey estaba comiendo una manzana. Me dedicó una sonrisita asustada.

—¿Estamos cerca? —preguntó.

—¿Cerca de dónde?

—De donde vayamos.

—Vamos a un montón de sitios, pero todavía no estamos cerca de ninguno —contesté.

Mientras el campo pasaba a toda velocidad, el cielo se oscurecía cada vez más. Hubo un relámpago y después retumbó el trueno. Mickey Dooley gritó:

—¡Saca la rana, Bill! ¡Parece que va a llover!

Y vaya si llovió. Llovió a cántaros. Cayeron chuzos de punta; cayeron lanzas y tridentes. Los cielos mismos se desplomaron sobre nosotros. Cayeron mil demonios y quién sabe qué más.

Los truenos retumbaron de nuevo y los relámpagos culebrearon en el cielo. Chillando y temblando, Lacey se cubrió la cabeza con la falda. Me desentendí de ella. Tener miedo, como tener piojos, es algo que uno debe guardar para sí.

Los jugadores hacían carreras de gotas de lluvia; las animaban y vitoreaban, mientras apostaban sobre cual de ellas llegaría antes al borde inferior de la ventanilla. Las canicas y los huesos de melocotón pasaban de mano en mano.

—Eh, Nariz de Patata, ¿quieres jugar? —preguntó Sammy—. ¿Quieres probar suerte?

Dije que no. Tenía mucha suerte... pero toda mala. Si apostaba con ellos, seguro que perdía mis botas, mi pelo y mi asiento en el tren y acababa calva, descalza y perdida en el campo. No señor. Ni hablar. No apostaría a favor de que algo bueno pudiera sucederme.

Cuando por fin dejó de llover, sólo se veía la llanura con unas cuantas parcelas de negra tierra labrada aquí y allá. Antes del anochecer pasamos por la primera casa que divisábamos en horas. Apoyado contra la valla había un chico que parecía que nos hubiera estado esperando. Se oyó un silbido de la locomotora y él nos saludó con la mano; se quedó allí hasta que el tren pasó, o quizá más. Quizá aún esté allí, deseando que volvamos.

"A ese chico deberían mandarle algunos huérfanos", pensé. Nunca había visto tal cara de soledad. Agradecería tanto tener compañía que seguro que los trataba bien y no les hacía trabajar demasiado. Por la noche, tostarían maíz y contarían historias; cuando pasara el tren, lo saludarían juntos y hablarían de ello después de cenar.

Al anochecer, el revisor encendió las lámparas de gas. El señor Szprot repartió, otra vez, sándwiches de jalea roja y manzanas, y ramas de apio. Me pregunté qué comerían la señorita doctora y él. ¿Tendrían que conformarse como nosotros con sándwiches de jalea? Miré hacia atrás para comprobarlo. El señor Szprot estaba roncando en su asiento y la doctora partía manzanas para los más pequeños. Lo mismo ella no comía nada de nada. Me pregunté que habría hecho con su sándwich.

Estiré los pies hacia la estufa para deshelarme los dedos.

—Me duele —dijo una vocecita a mi lado. Gertie, por supuesto.

—¿No irás a vomitar, no? —pregunté apartándola.

Ella negó con la cabeza.

—Pero me duele por todas partes.

—Puede ser un simple catarro. Siéntate un rato aquí, al lado de la estufa.

Trató de recostarse en mi regazo, pero yo crucé las piernas y la coloqué entre Lacey y yo.

El chico grandote que me había llamado Zampacoles, se acercó pavoneándose para calentarse las manos.

—¡Eh, Herman! —dijo Sammy desde su asiento— te conozco de Chicago.

—Llámame Hermy Navaja —contestó el chico tocando algo en su bolsillo que tanto podía ser una navaja como no serlo. Era un tipo de aspecto amenazador (lo que mamá hubiera llamado un chuleta), de pelo grasiento, nariz torcida y una sombra sobre el labio que quizá fuera un proyecto de bigote—. Sí, claro, me acuerdo de ti. De ti y de tu hermano.

—Joe no es mi hermano —contestó Sammy.

—Creí que eras feliz en Chicago —dijo Joe—. ¿Cómo has venido a parar a este tren?

—He venido a parar, *sacto* —respondió Hermy con indiferencia—, pero no pienso quedarme. En cuanto tenga ocasión, me largo. No quiero saber nada de paletos, destripaterrones, palurdos, cazurros, patanes ni gañanes.

—¿No quieres tener una familia? —le preguntó Gertie.

—Yo no necesito una familia —respondió Hermy—, tengo mi banda, los Casca Cocos, y no dejamos que nos mangonee nadie, y mucho menos un paleto de Villapaleta.

En ese momento, Hermy se calló y se dio cuenta de quién le estaba hablando.

—¡Anda, si es Gertie la Quejica! Y Zampacoles; y mira tú qué bien, están sentadas con Cabeza Repollo, que no sabe ni contarse los dedos de la mano. Vosotras tres sí que estáis hechas para Villapaleta.

—¿Zampacoles? ¿Así te has hecho tan grande? ¿Comiendo coles y más coles? —preguntó Sammy.

—Y no te olvides de las patatas —añadió Joe—, la vimos comer un montón de patatas.

—Sí, *nuestras* patatas.

Me di la vuelta y miré otra vez por la ventanilla. ¿Podría *yo* largarme también, como pensaba hacer Hermy? Era lo bastante mayor y lo bastante corpulenta como para cuidar de mí misma. Pero habíamos dejado Chicago. ¿Dónde estábamos? ¿Y a dónde podía ir desde dondequiera que estuviéramos?

Me quedé dormida pero, poco después, me despertaron unos sollozos. Eso no era raro en aquel vagón lleno de huérfanos, pero es que ese llanto lo tenía justo pegado a la oreja. Gertie. Por supuesto.

—Shhh... Gertie. Abrázate a Lacey y vuelve a dormir.

Pero ella continuó llorando y los otros niños comenzaron a rebullir.

—Ven conmigo —dije llevándola de la mano hacia el fondo del vagón.

La doctora estaba mirando por la ventanilla. No sé para qué porque fuera sólo había oscuridad. Oscuridad negra.

Gertie empezó a lloriquear de nuevo y apoyó su cara en mi falda.

—Señorita —dije.

—Doctora —dijo ella.

—Aquí Gertie, que no para de llorar y está despertando a los demás.

La doctora se volvió hacia nosotras.

—Déjela conmigo, yo la cuidaré.

La luz de gas titilaba en sus anteojos, lanzando chispas en mi dirección. Suspiré, contenta de que fuera Gertie, y no yo, la que tuviera que quedarse con la vieja señorita Nometoques.

·3·

OMAHA

Nos despertaron de noche cerrada, tuvimos que bajar del tren medio dormidos, con nuestras maletas, y caminar entre las vías de la nevosa Omaha para transbordar al tren de la Union Pacific que nos llevaría hasta Grand Island. Como me había acostumbrado a las sacudidas y al traqueteo del tren, caminé todo el rato dándome tropezones. Nuestro vagón era igual que el de antes salvo por las ventanillas: en éste estaban todas cerradas. Nos instalamos enseguida; yo al lado de la estufa y, como de costumbre, Lacey a mi vera.

Después reinó la tranquilidad, solo se oía el traqueteo de las ruedas y algún silbido ocasional, pero no podía dormir. Veía la cara de mamá por la ventanilla; y la de papá; y a los chicos y a tía Manya y a Hulda. Lacey me recordaba un poco a Hulda (también se peinaba con una gruesa trenza y también tenía las mejillas sonrosadas), pero el pelo de Hulda era negro como la noche y ella no era tonta de remate. Hulda y yo nos sentábamos juntas en la escuela; recuerdo que compartimos un patinete que encontramos en la calle hasta que se partió en dos. Ella juró que siempre seríamos amigas, pero cuando su nueva madrastra empezó a pegarle se escapó de su casa y, después de eso, no la volví a ver. Cuando cumplí nueve años, me vi obligada a dejar la escuela para ayudar a mamá con los pequeños, la casa y la costura, así que nunca tuve otra amiga.

Sentí que la soledad me embargaba, como si estuviera completamente sola en aquel tren. Sola con la oscuridad de la noche. Miré a mi alrededor. Todos dormían. Todos menos la cascarrabias de la señorita Nometoques, que miraba por la ventanilla. ¿Era mejor que los demás? Suspiré. A lo mejor sí. Me dirigí a su asiento.

—Señorita Nom... eh, doctora —dije, corrigiéndome justo a tiempo.

—Vuelve a dormir, Rodzina.

—No puedo dormir. Me gustaría hablar con usted.

—Estoy ocupada.

—Lo único que está haciendo es mirar por la ventanilla.

Me miró a la cara.

—Bueno, ¿y qué? Espera a mañana.

—Es ahora cuando no puedo dormir, señorita doctora. Déjeme hablar un momento con usted y después me voy para que siga mirando.

Cediendo al fin, me dejó sitio en el banco para que me sentara a su lado.

—Me he estado preguntando —dije—: ¿se pasa usted todo el día de acá para allá, de allá para acá, en este tren, con los huérfanos, como el señor Szprot?

—¿Era *eso* lo que no podía esperar hasta mañana?

—Señorita doctora, sólo trato de iniciar una conversación.

Suspiré y me rasqué la rodilla.

Ella suspiró a su vez y añadió:

—Señorita Brodski, yo no soy ni su madre ni su amiga, y mantener conversaciones con huérfanos en mitad de la noche no forma parte de mis obligaciones.

Sentí que se me subían los colores, pero antes de que pudiera responder, ella continuó:

—El Asilo me ha contratado para cuidar de ustedes, los huérfanos, hasta el territorio de Wyoming. Entonces quedaré libre.

—¿Y después?

—Después me meteré en un circo y montaré a pelo. O daré la vuelta al mundo en globo. O me casaré con un ricachón. Todavía no lo he decidido. ¡Qué! ¿Tiene ya ganas de dormir?

¿La señorita doctora bromeando? Qué raro. Pasaban cosas muy extrañas en mitad de la noche. A lo mejor me escuchaba. No costaba nada probar.

—Señorita doctora, no quiero seguir en este viejo tren. No quiero vivir con extraños. ¿No podría volver al orfanato con el señor Szprot y...?

—Nuestro trabajo es encontrarte un lugar para vivir.

—Pero yo no quiero...

—Lo que tú quieras o no quieras no importa. ¿Crees que *yo* quiero estar aquí? Soy doctora, no niñera. Pero aquí estoy. Lo mismo que tú. Venga, vuelve a tu sitio.

¡Cáspita!, escuchaba tanto como una torta de frutas. ¿Cómo se me habría ocurrido pensar que podría ayudarme? Seguro que estaba de acuerdo con todos esos tipos de allá lejos que se llevaban a los huérfanos para esclavizarlos y les pegaban y les mataban de hambre porque a nadie le importaba si seguían vivos o muertos.

¿Y dónde estaba Gertie? Con la señorita doctora no, y yo la había dejado con ella antes de llegar a Omaha. ¿Dónde estaba? Lo mismo la estirada y almidonada doctora había embutido a la pobre Gertie en una maleta y la había abandonado junto a las vías.

Me volví por donde había venido y me desplomé sobre mi asiento. Lacey, despierta, me miraba con sus grandes ojos que resplandecían bajo la luz de gas.

—¿Dónde has ido? Tenía mucho miedo, y no me gusta tener tanto miedo.

Lloriqueando, se inclinó hacia mí.

¡Repámpanos! Me aparté con un movimiento brusco.

—¿Por qué me molestas? ¡No quiero ser amiga tuya ni nada parecido, pero tú sigues dándome la lata!

Lacey se apretó de nuevo contra mí.

—¡Es que cuando estoy contigo me siento segura! Eres tan grande y tan fuerte... como un árbol frondoso sobre el que puedo apoyarme sin que se caiga.

¿Un árbol? ¡Qué cosas más raras decía! Supongo que no lo podía evitar, siendo tonta de remate, así que dejé que se apoyara un rato.

Un árbol frondoso. ¿Eso era bueno o malo? Tenía que pensarlo.

Apreté la cara contra el cristal. Las nubes corrían por el cielo y, de repente, apareció la luna e inundó de luz plateada toda la pradera: era como el paisaje de un cuento de hadas. Mamá me contó que Moisés se encontró una vez con un hombre que buscaba madera durante el Sabbath y lo desterró a la luna. Y que por eso se ve allí una sombra a la que llaman el hombre de la luna. Suspiré. "Te echo de menos, mamá, desearía que no me hubieras dejado". Ya sabía que mamá no podía oírme. Si existía un lugar como el Cielo, mamá estaría allí, diciéndole a Dios lo que tenía que hacer y echándole una regañina a la Virgen María por estar demasiado delgada, que tenía que comer más. Y yo estaba sola. "Te extraño, mamá".

Miré por la ventanilla durante largo rato. Estaba amaneciendo, pero no se veían casas, ni árboles, ni arbustos. Parecía que Nebraska era todo hierba muerta y cielo interminable, por lo que yo alcanzaba a ver, por lo que yo alcanzaba a imaginar.

A mediodía pasamos al lado de una caravana de colonos que se dirigía al oeste. Mulas lentas y empeñosas tiraban de grandes carretas cubiertas con lonas, atestadas de jergones, colchones, ropa de cama y demás enseres domésticos. Los niños nos saludaron agitando andrajosos sombreros de paja mientras las mujeres, con trajes de algodón y gorritos, se detenían para vernos pasar.

Por la tarde, una agitación especialmente ruidosa inundó el vagón.

—Venid para acá, renacuajos —dije por fin a Lacey, Joe, Sammy, Horton, Chester, Spud, Mickey Dooley y Gertie. No, ni rastro de Gertie. ¿Pero dónde estaba Gertie? Pensaba ir a buscarla enseguida—. Voy a enseñaros a jugar a Enterroso Mentoso Cortoso Maíz.

—¿Pueden jugar Nelly y Kitty? —preguntó Lacey.

—¿Quién?

—Nelly y Kitty. Estaban también en el Hospital Infantil. Nelly tuvo que largarse porque el marido nuevo de su madre no la quería ni ver. Y la mamá de Kitty bebe.

Le dije que sí. Mientras Lacey iba a buscarlas (estaban con la señorita doctora), pensé en lo horrible que debía ser ir en ese tren sin ser huérfano, formando parte de una familia que no te quisiera.

Nunca sentí que mi papá o mi mamá no me quisieran, a pesar de lo pobres que fuéramos o de los problemas que tuviéramos. ¡Vaya! ¡Pero si me llevaron con ellos desde Polonia a Chicago para poder estar juntos!

En Polonia, papá había sido dependiente en una librería, poeta y escritor de airador misivas a directores de periódico incitando a los polacos a la sublevación contra los invasores alemanes. Una noche, le dio un porrazo en la nariz a nuestro casero alemán. No me cabe la menor duda de que el casero se merecía el porrazo pero, a pesar de eso, mamá, papá y yo tuvimos que marcharnos de Polonia aquella misma noche; únicamente nos llevamos unos pocos cientos de *ztotys*, un colchón y una estatua de yeso de la *Panna Maria*, la Virgen María. Fue mi papá quien me lo contó; yo no lo recordaba porque entonces sólo tenía dos años y, por aquel entonces ya estaba bastante ocupada con aprender a andar y a hablar como para interesarme por la política.

Siempre me sentí querida mientras ellos vivieron. Nunca tuve que dormirme a base de llorar y nunca me iba con hambre a la cama, aunque sólo tuviera patatas en el estómago. Dormíamos tres en la misma cama (cinco cuando mis hermanos vivían), pero siempre tuvimos cama, y siempre había tenido unos brazos para abrazarme y alguien para escupirse en el pulgar y limpiarme la mugre del mentón. Si no hubieran muerto... si pudiera solamente... si pudiera...

Alguien me tocó en el hombro.

—Venga, Ro. Habías dicho que nos ibas a enseñar el juego del maíz.

Eso hice, así que dejé de recordar durante un rato.

Cuando el tren se detuvo a la hora de la cena, los pasajeros de otros vagones, lo bastante afortunados como para llevar dinero en el bolsillo, bajaron a cenar. La cantina resplandecía con sus alegres luces en medio de una oscuridad cada vez más profunda. Los olores de carne frita y de tortas horneadas se escaparon de la cocina y vinieron directos al vagón de los huérfanos. Nosotros, los huérfanos, nos amontonamos en los asientos que daban al comedor, pegamos las narices a los cristales y aspiramos.

—Si estuviera allí —dijo Spud desde el banco que estaba frente al mío—, tomaría lucio hervido con salsa de rábanos picantes y sopa de zanahorias.

—Y rosbif para mí —dijo Sammy, saltando sobre su asiento.

—No, salchichas de cerdo —dijo Joe.

—Y pan blanco caliente con mantequilla —añadió Chester—, y pollo asado.

—Y torta —me susurró Lacey—, mucha torta.

El señor Szprot llegó en ese momento con nuestra cena. Sándwiches de jalea, por supuesto, y patatas frías que sacaba de esas grandes cestas que parecían no tener fin.

Mickey Dooley miró su sándwich y comentó:

—Si tuviéramos jamón, podríamos comer jamón y huevos...

—¡Cierra esa bocaza irlandesa, Dooley! —chilló uno de los chicos mayores.

—... si tuviéramos huevos —completó Mickey riéndose.

—¡A callar, bribones! —ordenó el señor Szprot.— La señora doctora y yo tenemos que bajar un momento del tren. Los pequeños están dormidos y los mayores van a salir también. ¡Tú, polaca, vigila a estos de aquí, que se estén quietos y que no bajen del tren!

Sospeché que la doctora y el señor Szprot iban a la cantina para tomar filetes y cerveza.

—Parece que *ellos* no se conforman con sándwiches de jalea —dije en cuanto se fueron.

—Apuesto que comen ternera asada y col —dijo Spud.

—Y torta de chocolate —añadió Chester.

—¡Y helado! —remató Joe dando saltos.

Deduje que, si no me apresuraba a distraerles, se iba a montar una rebelión de huérfanos con asalto de cantina y rebatiña de comida incluidos.

—En Polonia nadie tiene que comer nunca sándwiches de jalea —dije mientras masticaba—. Mi mamá solía decir: "En Polonia teníamos de todo: queso, mantequilla, huevos, miel, zanahorias y cerveza".

—¿Qué es Polonia? —preguntó Lacey.

—Es otro país, donde yo nací.

—¿Lejos?

—Muy lejos.

—¿Tuviste que tomar un tren para venir?

—Un tren, y una diligencia, y un barco sin aire ni luz y con la gente tan apretujada como sardinas en lata.

—¿Por qué te fuiste de Polonia si se estaba tan bien? —preguntó Sammy—. ¿No había bastantes patatas para ti? —añadió soltando una risotada.

—Nos fuimos porque papá dijo que la libertad pobre era mejor que la esclavitud rica.

Sacudí la cabeza... Pobre papá. Encontró poca libertad en Chicago, rica o pobre. Y poca alegría. Creo que sus momentos más felices los pasaba las tardes de los sábados que no trabajaba, cuando íbamos caminando hasta los comercios de Ashland Avenue y comprábamos allí la cena: salchichas con especias que llamaban *kietbasy*, rábano picante recién rallado, redondo pan de centeno y, si podía ser, cerezas. Papá regateaba para conseguir los mejores precios, hablando alemán al panadero, yiddish al hombre que vendía encurtidos e incluso un poco de italiano al verdulero. Sin embargo, al carnicero polaco le pagaba lo que pidiera, y después se dedicaban a discutir amigablemente de Polonia y de política hasta que yo le tiraba de la manga, impaciente por volver a casa.

—Las penas con pan son menos penas —dijo mamá una vez mientras le ayudaba a preparar la cena.

—Papá dice que la libertad es más importante que el pan —contesté yo.

Ella entrecerró los ojos.

—¡Nada de darme lecciones! ¡Vete a por agua para la sopa!

Así que bajé los tres tramos de escaleras que nos separaban del patio, llené el cubo de agua en la bomba y subí los tres tramos de escaleras. Tuve bien claro que no volvería a discutir con mamá hasta que no se me pasara el dolor de brazos.

Spud me clavó su huesudo codo en el costado.

—¡Que digooo que si sabes hablar polacooo!

—Sé pedir *klops* y *kapusta* para comer, y lo entiendo algo. Poco más.

En casa hablábamos siempre inglés, para que mamá lo aprendiera; a pesar ello, hasta el día en que murió, su inglés sonaba a polaco.

—¡Ah!, y sé decir vuestros nombres. *Zwinia* —dije a Spud—, *Osiot* —a Joe—, y *Lajdak* —a Sammy.

Miré a mi alrededor complacida, mientras los chicos se empujaban y se peleaban en sus asientos; acababa de llamarles: Cerdo, Macaco y Villano. Y aún eran nombres demasiado buenos para ellos.

De repente, me acordé de Gertie.

—¿Ha visto alguien a Gertie?

No había vuelto a saber nada de ella desde el día que la dejé con la señorita doctora, y eso fue antes de llegar a Omaha.

—No la he visto —contestó Sammy.

Lo mismo dijeron Joe, Chester y Lacey.

Busqué por el vagón. No había ninguna Gertie

durmiendo sobre un banco, calentándose al lado de la estufa o gimiendo al lado de una ventanilla. ¿Es que ya no estaba en el tren?

Mickey Dooley salió en ese momento del aseo.

—¿Has visto a Gertie? —le pregunté, cada vez más preocupada.

—La vi con la señorita doctora cuando cambiamos de trenes —contestó Mickey—, pero desde entonces no la he vuelto a ver. No creo que esté en el tren.

—¿Es posible que la señorita doctora la dejara en Omaha?

Todos sacudimos la cabeza. ¿Era su castigo por quejarse y por manchar la falda de la señorita? Pobre Gertie. Esperaba que la hubieran llevado a un orfanato y que no se hubieran limitado a dejarla sobre un andén pero, con la señorita doctora y el Szprot ése, no se podía asegurar nada. De ahora en adelante tendría que ser precavida, tendría que fijarme muy bien dónde pisaba.

—Yo no quería venir en este tren—dije—, pero aún me gustaría menos que me dejaran tirada en cualquier sitio en plena noche.

—¿Que no querías venir? —preguntó Chester—. Pues yo sí. Dicen que podré plantar sandías. Me encantan las sandías.

¿Y a quién no?, digo yo. ¿A quién podía no gustarle ese fruto tan dulce y jugoso? Pero yo dudaba que Chester pudiera ver siquiera una sandía cuando fuera un esclavo.

—A mí me prometieron una buena casa —dijo Spud—, una casa en la que podría guiar caballos y bueyes, y tener todas las peras y manzanas que me apetecieran.

—El tipo del Refugio para Pequeños Vagabundos me dijo que me darían una granja —añadió Horton.

—Ellos me dieron mi primer par de zapatos en tres inviernos, por eso he venido —concluyó Mickey Dooley.

¡Buenooo…! No se iban a llevar desilusión ni nada cuando vieran quién se los llevaba y para qué terrible propósito. Negué con la cabeza.

Chester engulló su último trozo de sándwich y me preguntó:

—Si no querías venir en este tren, ¿por qué estás aquí?

—¿Tú qué crees? ¿Que me pagaron cien dólares? Estoy aquí porque no puedo ir a otra parte y porque me obligaron a venir.

Me estaba empezando a arrepentir de haberles dado tantas confianzas... si yo lo único que quería era que me dejaran en paz... Me di la vuelta y comencé a mirar por la ventanilla mientras ellos seguían hablando de zapatos, granjas y sandías.

Fuera, bajo la luz de la luna, algunos de los chicos mayores hacían el tonto por el andén; se empujaban, se reían y fumaban, como era habitual, los cigarrillos que sacaban de no sé dónde y que, en la oscuridad, brillaban como linternitas. En ese momento, Hermy aulló: "¡Viajeeeeeros al tren!", consiguiendo que todo el mundo saliera pitando de la cantina, con la servilleta aún sobre la camisa o con el tenedor en la mano. El revisor se acercó por allí y agarró a un par de chicos por las orejas.

—¡Es sólo una broma, amigos! —gritó a los viajeros—. Aún faltan diez minutos. Vuelvan a sentarse y a comer. Faltan diez minutos.

La mayor parte de los que habían salido despavoridos se metieron en el comedor de nuevo para terminar su cena, pero no todos: algunos les angustiaba demasiado perder el tren y ser abandonados en aquel lugar con la única compañía de la cantina y la luna.

.4.

GRAND ISLAND

La mañana tiene oro en la boca, solía decir papá. Lo entendí al despertarme con el sol resplandeciendo sobre las llanuras. Durante el día, el país se deslizó rápidamente en una creciente explosión de amarillos y marrones. Yo no sabía que los Estados Unidos fueran tan grandes ni que el oeste estuviera tan lejos. Nunca había estado a tanta distancia de casa. Bueno, Polonia estaba aún más lejos, ya lo sabía, pero ese no era mi hogar, en realidad, ya que nos fuimos cuando yo era muy pequeña. Mi hogar era esa habitación del tercer piso de Honore Street y, cuanto más nos adentrábamos en lo desconocido, más millas se alejaba. Más y más millas.

Aquella tarde, mientras nos acercábamos a Grand Island a toda velocidad, entrando cada vez más en el gran estado de Nebraska, el señor Szprot nos dijo:

—¡Eh, vosotros, perillanes! Sentaos y quedaos quietos —gritó, subiendo y bajando en la boca un cigarro que tendría ya unas cuatro pulgadas de ceniza oscilando en el borde, hasta que los veinte (bueno, veintiuno conmigo) estuvimos sentados y con la boca cerrada—. Grand Island, como sabéis, es vuestra primera oportunidad para encontrar las damas y caballeros del oeste que os proporcionen una nueva familia.

Más exactamente, pensé, la primera oportunidad de ser expuestos como ganado, vendidos como esclavos y quitados de en medio como carne vieja.

—Quiero ayudaros a todos a que encontréis buenos hogares. Vosotros, los mayores —dijo dirigiéndose a Hermy Navaja y a los otros—, estaréis muy solicitados para ayudar en las granjas.

Esclavos. Lo sabía.

—El resto dependéis de vuestro encanto —sonrió burlonamente, sosteniendo el cigarro entre sus dientes amarillos—. Desafortunados aquellos que no lo tengan. Ahora, miradme —se puso de rodillas y suplicó frente a Sammy—. ¡Por favor, señor, quiero ir a casa con usted! —dijo con una voz aguda y aniñada que salía por detrás del cigarro—. ¡Por favor! ¿Puedo irme con usted? ¡Soy un muchachito muy bueno!

¿Cómo podrían ciertas personas, aunque fueran tan insensibles como Szprot y la doctora, dejar a niñitos en manos de extraños para que fueran sus esclavos? Me di la vuelta para no verle, asqueada.

Mientras el señor Szprot y los huérfanos más pequeños hacían prácticas, Hermy Navaja se dejó caer en el asiento contiguo al mío.

—En la primera parada, me las piro, me vuelvo a mi hogar de Villapiedra —murmuró—. No pienso trabajar en ninguna granja con un palurdo de pelo amarillo de un pueblo de Ningunaparte. No señor, yo no —se dio la vuelta y advirtió que le estaba observando—. ¿Qué miras, polaca torpe? So inmigrante. Pardilla. ¿Por qué no vuelves al lugar del que has venido?

—Vengo de Chicago como tú, cabeza hueca —contesté.

Se puso en pie echando chispas por los ojos, y por los puños, sospeché. Daba miedo por lo grande que era, pero además de grande era idiota, mientras que yo era grande, fuerte como un buey e inteligente. No le tenía miedo. Yo también me levanté.

Allí nos quedamos, frente a frente, oscilando y bamboleándonos en aquel tren que cada vez se acercaba más a Grand Island. Hermy dijo al fin:

—Pardilla —escupió en el suelo y se abrió camino hacia el fondo del vagón, dando empujones a su paso a los huérfanos que unos frente a otros se decían:

—¡Por favor! ¿Puedo ir a casa con usted y ser su muchachito?

Me senté otra vez. No pensaba practicar. No pensaba suplicar ser llevada por extraños para ser maltratada. Lo único que quería era que me dejaran en paz.

Después de un rato de más traqueteos, balanceos y súplicas, los ensayos se dieron por concluidos. Los huérfanos que tenían una muda se pusieron sus mejores trapos. Pero la mayoría iba como yo: nuestros trajes habían sido donados al orfanato porque estaban usados, y los habíamos llevado puestos todo el tiempo, nos habíamos sentado y habíamos dormido con ellos. Las niñas llevábamos vestidos de cuadros escoceses con delantales encima, y los niños gastaban pantalones bombachos, chaquetas y corbatas, excepto Sammy y Joe, sacados directamente de la calle con sus calzones sucios y sus camisas andrajosas.

Me quité el delantal, que parecía haber sido un campo de batalla entre sándwiches de jalea y cubos de ceniza. El vestido estaba arrugado y manchado, pero qué iba a hacerle.

La señorita doctora y yo ayudamos a los más pequeños a asearse un poco.

—Ven aquí, Joe —dije—, déjame que te limpie.

Cuando conseguí agarrarle por la camisa, me retiró con malas maneras:

—¡Quítame las manazas de encima!

—¡Sammy, dile a tu hermano...!

—Joe no es mi hermano —contestó Sammy, pero se acercó para arreglarle la camisa y alisarle el pelo.

—Ahora yo, Ro —dijo Lacey.

—Rodzina —murmuré mientras le deshacía la trenza. Mi pelo no estaba mal: más bien rubio y algo ondulado pero un poco ordinario. Sin embargo, el de Lacey era precioso, parecía vivo, era suave, tupido y brillante; le rodeaba la cabeza resplandeciendo como el halo de una farola en una noche de niebla. Sólo por el pelo hubiera podido odiarla. Sospecho que, al peinárselo y hacerle la trenza, tiré un poco más de lo necesario.

Pasamos por una curva cerrada y el tren se inclinó bruscamente. Vi a Nelly agarrarse con fuerza a la falda de la doctora con sus manos pringosas. Frunciendo el entrecejo, la doctora tiró con tanta fuerza de la falda que Nelly estuvo a punto de caerse. "¿Por qué era tan fría y tan desagradable?", me pregunté. ¿Tanto le costaba ser amable con unos huérfanos? Los doctores eran ricos, ¿no? Seguro que tenía montones de faldas. ¿Era tan grave que se manchara una de ellas con un poco de jalea? Tuve miedo de que Nelly desapareciera como la pobre Gertie, que desapareciera por cometer el crimen de tocar la falda de la doctora.

Le hice señas a Nelly para que se acercara a mí, le sacudí el polvo y le arreglé el pelo.

—Venga, sujétate a mi falda —le dije, y ella así lo hizo.

El señor Szprot nos reunió para ensayar lo que íbamos a cantar por la noche. El por qué individuos culpables de tantas cosas tenían ese ansia por oír cantar a los huérfanos no lo sé, pero parecía que así era. El señor Szprot se puso en pie en la parte delantera del vagón, con el cigarro moviéndose entre los labios y agitando las manos de acá para allá como si pintara cuadros en el aire mientras cantábamos. Y cantamos: alto, con fuerza y desafinando. Mi favorita era *Yankee Doodle*, porque a Chester siempre le salía un gallo en la última palabra (*han-dy*), y eso era lo mejor de toda la canción.

Cantar me acaloró, así que saqué un cazo de agua para lavarme la cara y refrescarme un poco. En ese momento, Mickey Dooley se acercó y me preguntó:

—¿Qué *aguás* a hacer con eso?

Le ignoré por completo. ¿Os habéis dado cuenta de que los tipos con menos que decir son los que más hablan? Un ejemplo: Mickey Dooley.

Cada vez pasábamos por más granjas y menos praderas, hasta que aparecieron un grupo de casitas de madera, comercios e incluso una iglesia. Y allí por fin estaba Grand Island que, por lo que se podía ver, ni era una isla ni era grande.

Cuando bajamos al pequeño andén, el sol se estaba poniendo y el cielo parecía iluminado como para un cuatro de julio: esponjosas nubes blancas, estallidos de oro y llamaradas naranjas. Poco después, la oscuridad descendió como un manto de terciopelo. Nunca había visto una puesta de sol así, y su belleza me rompió el corazón. Tuve que inspirar profundamente, una vez, y otra, y otra más. El aire olía tan bien, era tan limpio y tan puro, que parecía que nunca hubiera sucedido allí nada malo. No era como el de Honore Street, con sus mataderos, sus vertederos y sus burbujeantes riachuelos de aguas negras.

Nos alineamos en el andén. La doctora llevaba a dos niñas pequeñas de la mano.

—Rose y Pearl Lubnitz van a volver a su casa — dijo el señor Szprot—. Su madre ha cambiado de idea: ya no quiere darlas en adopción, quiere que vuelvan con ella —masticó un poco el cigarro—. Mejor para ellas, supongo. En general, los huérfanos no acaban bien —la doctora le miró frunciendo el ceño y le dio un codazo—. Mientras vamos a contratar a alguien para que las lleve a Chicago vosotros, ratas de cloaca, no os mováis de aquí.

Todos miramos atentamente mientras entraban en la estación. Pero qué suerte tenían Rose y Pearl Lubnitz. Se oían los suspiros, las quejas y los llantos, cada vez más altos, de los que habían sido abandonados. Seguro que todos hubiéramos querido tener una mamá con la que volver, y alguien que nos sacara de aquel tren y nos llevara de vuelta a Chicago; allí mamá diría: "Todo ha sido un malentendido. Yo no he muerto y tú no tienes que ir a ninguna parte" y nos haría torta y limonada, y nos arroparía en la cama.

Sacudí la cabeza y empecé a leer los anuncios de la pared.

SE BUSCA ESPOSA
PARA CABALLERO DEL OESTE

Debe ser limpia, buena cocinera y tener un carácter amable. No se admiten niños ni parientes fastidiosos. Escribir a Henry Spurior, Moose Lick, Montana.

꧁❧   ꧁❧

"¡Ja! —pensé—. Esa sería una buena oferta para la señorita doctora, cuando se libre de nosotros, los huérfanos, si no fuera por lo del carácter amable".

꧁❧

¡MIS DENTADURAS SON
LAS MÁS SEGURAS!

Consulta dental SIN DOLOR *del Dr. Everett.*
Se extraen dientes sin dolor
gracias al uso del Aire Vitalizado.
SI LE DUELE NO PAGA
Dentaduras 5.00$ Fijación perfecta.
Empastes 50 centavos, 1.00$ los de oro.
Diez años de garantía.
273 Merchant Street, Oak.
HORARIO: *de 8,30 de la mañana a 8 de la tarde.*
Domingos hasta las 5 de la tarde.
No somos dentistas ambulantes
ESTAMOS AQUÍ PARA QUEDARNOS.

꧁❧   ꧁❧

CONSIDERANDO QUE ALGUNA MALVADA PERSONA

o Personas está ocupada en hacer
Circular Escandalosos Infundios
sobre el Carácter de la señora Turk, Miller Street, 6,
se comunica que quienquiera que pueda proporcionar
información sobre el Ofensor u Ofensores para que puedan
ser llevados ante la Justicia será magnánimamente
recompensado por sus Esfuerzos.

RESTAURADOR DE CABELLOS DE GAUNT

Una única botella puede restaurar el color de los
Cabellos Grises y devolverles su color original.

LEA LO QUE DICEN
QUIENES LO HAN USADO

Disponible en la tienda de C. E. Gaunt,
vestíbulo del Hotel Prairie Queen.

Y allí estábamos nosotros, sobre el tablón de anuncios, para ser vendidos como si fuéramos un restaurador del cabello.

SE BUSCAN HOGARES PARA NIÑOS

*Una compañía de veintidós niños sin hogar de varias
edades y sexos, que han sido arrojados
sin amigos al mundo, acudirán a la
Escuela de Grand Island
el 30 de marzo de 1881,
con el propósito de encontrar nuevos hogares.
Las personas que se hagan cargo de estos niños deben
obtener la aprobación de los agentes que los acompañan y
garantizar trato amable, formación moral, ropa decente
y una adecuada educación escolar.
El Agente de Colocación, Leonard R. Szprot,
pronunciará un discurso.*
SE SERVIRÁ TORTA Y CAFÉ

El anuncio no decía una palabra sobre vendernos
o dejarnos como sirvientes. Daba incluso la
impresión de que se preocupaban un poco por
nosotros. Pero yo sabía la verdad.

—¡Eh, tú, Zampacoles! ¿Tienes un pitillo? —me
preguntó Spud. Sonrió de oreja a oreja, enseñando
sus enormes y saltones dientes—. Me muero por un
café y un pitillo.

Cuando le dije que no con la cabeza, se marchó
para reunirse con sus colegas, que mendigaban por
el andén.

—¿Tiene un penique para un huérfano? —preguntaban a todo aquel que subía o bajaba del tren o al que simplemente se apoyaba en las vallas, esperando a que pasara algo. Para su desgracia, Spud le preguntó: "¿Tiene un penique?" a un hombre con chaqueta de cuadros, antes de darse cuenta de que ¡era el señor Szprot! Spud no fue recompensado con cigarrillos precisamente, sino con un cachete y un empujón que le devolvió a la fila. Yo me gané una mirada de pocos amigos de parte del señor Szprot.

Por último, nos dirigimos hacia la escuela. Las botas de papá, al ser demasiado grandes, me hacían daño en los pies, y las rodillas me picaban a más no poder.

Íbamos a ser expuestos en una gran sala con una mesa llena de bollos y tortas en uno de los lados, y una fila de bancos que iba de pared a pared en el otro. Mientras nos subíamos a los bancos para que la gente pudiera vernos bien, le eché un vistazo a la concurrencia. Habría cincuenta personas, más o menos, entre hombres y mujeres, con el aspecto que yo había imaginado que tendrían los granjeros: curtidos por los elementos y con signos de cansancio. Llevaban gastados sombreros de algodón de ala ancha y bonetes mustios. No se iban a molestar a ponerse la ropa de los domingos sólo para nosotros.

¿Y qué iba a pasar si uno de ellos me pescaba? Yo no quería ir a casa de ninguno de esos extraños. Me puse detrás de los otros intentando que no me vieran.

Después de cantar una tanda o dos de *There's a Light in the Window* y *Home on the Range*, el señor Szprot se puso en pie.

—Tengo el placer —dijo— de poner a su disposición un selecto grupo de huérfanos sin hogar de Chicago —hizo oscilar su cigarro una o dos veces—. No los consideremos desafortunados porque, aunque no tengan hogar ni familia, tienen en verdad la suerte de esta oportunidad que se les brinda, la oportunidad de encontrar buenos hogares y de alejarse de la ignorancia, la pobreza y el vicio en los que fueron hallados en las calles de Chicago.

Continuó hablando, pero yo estaba demasiado furiosa como para escuchar más. Yo no fui encontrada entre la ignorancia y el vicio, y ningún señor Caravinagre iba a hablar de esa manera de mis padres. Casi los podía ver, como si estuvieran allí: mi amable papá sosteniendo un libro en sus grandes manos, mi mamá cosiendo flores a los sombreros, de madrugada, por diez centavos la docena; papá y mamá sonriendo mientras me balanceaban entre los dos en el baile de Nochebuena...

Cuando el señor Szprot terminó su discurso, los granjeros y sus esposas nos pasaron revista mirándonos como si fuéramos cachorros, o carromatos cargados con algún tipo de muebles para el salón –percheros para abrigos o sofás de pelo de caballo– en lugar de personas.

Observé que los demás huérfanos escudriñaban atentamente las caras extrañas, tratando de averiguar quién podía ser bueno y quien no. Los pequeñitos hacían lo que se les había enseñado: tirar de los faldones y preguntar quedamente: "¿Puedo ir con usted y ser su muchachito?"

¿Habría alguien, joven y de aspecto agradable, del que pudiera suponer que no iba a tratarme mal? Si lo viera, podría acercarme y decir... pero tenía demasiada vergüenza como para hacer eso. ¿Y si le tiraba a alguno de los faldones y resultaba que ese alguno no quería una polaca que encima llevaba puestas las botas de su padre? ¿Y si se marchaba y todos veían que no había querido saber nada de mí? Vamos, sería espantoso. Pero como no parecía haber nadie que cumpliera mis requisitos, dejé de darle vueltas al asunto.

Los granjeros nos inspeccionaron para ver si nuestras piernas eran fuertes y nuestras espaldas rectas. Uno de ellos palpó los músculos de Spud y después metió su sucia y vieja mano en la boca de Joe para examinarle los dientes. Joe le mordió, por supuesto. La doctora le agarró por el brazo y le hizo sentarse en un alejado rincón. No podía oír lo que le estaba diciendo pero su boca se movía con más rapidez que las ruedas del tren. Cuando volvió, le dijo a Sammy que fuera a reunirse con él. Nadie quería saber nada de esos dos huérfanos en particular.

Una pareja de aspecto amistoso se paró frente a Mickey Dooley que, como de costumbre, llevaba puesta la sonrisa en la cara y la gorra en la cabeza.

—¿Cómo estás, jovencito? —preguntó el hombre.

—Fuerte como un roble, señor —contestó Mickey con voz algo chillona.

—¿Eres irlandés?

—Síííssseñor, de verdad, señor —afirmó Mickey tocando su gorra, mientras sus ojos miraban simultáneamente aquí y allá. El hombre asió a la mujer por el brazo y siguieron su camino.

Un granjero comentó que Mickey era demasiado canijo y su piel demasiado delicada para el trabajo de una granja, y una mujer se santiguó al ver sus ojos. Mickey me pilló observándole.

—Tienes un *gallinoplás* en el cuello —dijo.

—¿Qué es un *gallinoplás*? —pregunté palpándome el cuello.

—Puf, y pesa seis libras por lo menos —dijo con un guiño. No se sentía desgraciado por nada, tampoco porque nadie le quisiera.

Un montón de gente se paró a hablar con Lacey; era tan guapa y tan dulce... Pero lo primero que decía cuando se paraban ante ella era: "Me llamo Lacey y soy lenta". La gente se marchaba.

—Lacey, ven aquí —dije lo más bajito que pude. Ella descendió de su puesto en un banco del fondo, recorrió el espacio que nos separaba y se plantó ante mí.

—¿Por qué le dices eso a la gente? —pregunté.

—Porque quiero que la gente sepa cómo soy y que, a pesar de eso, me elijan.

Sacudí la cabeza; sabía que no la iban a elegir... de ninguna de las maneras. Quizá fuera lo mejor.

Dos de los pequeños y tres de los mayores fueron los primeros elegidos. Después le tocó a Kitty: se la llevó un matrimonio de granjeros con cinco hijos pequeños. Se elegían niños a diestra y siniestra. Algunos lloraban cuando los separaban de sus hermanos o hermanas, otros reían, otros se colgaban de alguno como de las agarraderas de un carro, como si fueran a caerse si las soltaban.

Pobres huérfanos. ¿Qué sería de ellos?

Un hombre y una mujer vestidos de negro brillante se pararon frente a mí. Eran altos y esmirriados como palos de escoba, con ojos fríos y estrábicos, y labios que parecían no haber sonreído desde que Abraham Lincoln se puso sus primeros pantalones largos.

"¡Ay, no! —me dije—. Yo con vosotros no me voy. Tenéis toda la pinta de andar por ahí pisoteando gatitos".

Les saqué la lengua y conseguí que se largaran, los Gemelos Escoba, a buscar otro huérfano al que dar pesadillas.

Poco después, una voz cascada dijo a mi derecha:

—¿Ésta qué tal, Oleander? Parece bastante capaz.

—Pero es grandota y bastorra —dijo otra voz— y ¡qué nariz!: podríamos aparcar nuestro carro en ella. ¿Tú crees que será judía, Peony?

—Con ese pelo rubio, no.

Estaban hablando de mí; esas viejas damas buscaban alguien capaz aunque tuviera la nariz grande. Parecían simpáticas, con sus mejillas sonrosadas, sus ojos brillantes y sus flores en el sombrero.

—Nos hace falta una chica mayor —dijo la que se llamaba Peony al señor Szprot—. ¿Cuántos años tiene ésta?

—Cerca de quince, señora —contestó Szprot. Esperé que un rayo le fulminara por tamaña mentira, pero nada ocurrió—. Tiene mucha experiencia con los niños.

—Nosotras no tenemos niños —dijo Oleander.— Sólo una madre y unas cuantas tías ancianas. Hay que levantarlas y después lavarlas. ¿Podrá hacer eso?

—¿Puede levantar un saco de harina de cien libras? —preguntó Peony.

—¿Y fregar bien un suelo de madera? —añadió Oleander.

—¿Tiene el estómago lo bastante fuerte como para vaciar orinales?

—¿Y asear pies viejos?

—¿Sabe coser, zurcir, lavar y planchar?

El señor Szprot subía y bajaba la cabeza, masticaba su cigarro y contestaba a todo: "Sin duda, sin duda", desafiándome con mirada asesina a que fuera capaz de hacer un comentario por pequeño que fuera.

—¿Hervir cenizas y lejía para hacer jabón? ¿Matar cerdos? ¿Limpiar, desgranar, moler, tamizar, cocer, hornear, encurtir y tostar maíz? —más cabezazos del viejo Caravinagre.

—Nos la llevamos —dijeron al unísono Oleander y Peony.

Lo sabía. Melvin tenía toda la razón. La gente no quería niños, quería lavapiés y matacerdos.

—Yo no quiero ir con esas ancianas para ser enfermera, cocinera y esclava —le dije al señor Szprot—. ¿Qué impresión daría que las Organizaciones de Beneficencia me colocaran con ellas y yo muriera de tanto carnear y hornear?

El señor Szprot masticó el cigarro y lo volvió a masticar.

—Correremos ese riesgo —contestó.

—¡No, por favor, no quiero ir!

Pero el señor Szprot estaba decidido, y la fría señorita doctora quería librarse de todos nosotros para leer su libro y rumiar lo injusta que era la vida. "Prefiero morirme aquí mismo y de una manera espantosa —pensé— a irme con Peony y Oleander". Prefería tirarme por una ventana, o ahogarme en un lago, o ponerme en medio de una carrera de caballos. Pero estábamos en una planta baja, lejos de cualquier clase de agua, con huérfanos y granjeros a montón pero sin caballos. Estaba condenada a vivir.

Mientras Peony y Oleander firmaban un papel para el señor Szprot, Lacey se acercó y me agarró de la mano.

—¡No quiero que te vayas! —dijo—. Tengo miedo. No me gusta tener miedo.

—No te agarres a mí, Lacey, ya tengo bastantes problemas. Y no te pongas a llorar —le limpié la nariz con su falda y la volví a meter en la fila con los demás—. Se te ponen los ojos rojos y se te llena la cara de mocos.

Cuando nos íbamos, vi a Hermy Navaja arrastrado de la oreja por un granjero con mono de trabajo. No pude creer que alguien hubiera preferido a Hermy antes que a Mickey Dooley sólo porque Mickey fuera más pequeño, pálido, irlandés y de ojos móviles. Aquel granjero lo iba a lamentar.

Peony, Oleander y yo montamos en un carro, y Oleander tomó las riendas. Si no acababa con aquello allí mismo, estaba perdida.

Después de unos minutos de *clipclopear*, les dije:

—No quiero ir con ustedes, ya lo saben.

—Eso no es asunto tuyo —contestó Oleander— tenemos un papel.

Cabalgamos más deprisa.

—No soy tan fuerte como parece.

—Unas buenas dosis de melaza y de aceite de hígado de bacalao y te ponemos en forma.

Más clip-clopeo.

—Puedo ser difícil.

—Sabemos manejar a las chicas difíciles —hizo restallar el látigo.

—Bueno, pues entonces me fugaré.

Se miraron la una a la otra y se echaron a reír.

—Sí, sí, cómo hay tantos sitios a los que ir en la pradera... —dijo Peony.

Clip-clop, clip-clop, cada vez más lejos del tren y más cerca de tener que levantar cosas o personas a pulso, planchar, tamizar y encurtir durante el resto de mis días. "¿Mamá?, ¿papá? ¡Ayudadme! ¿Qué debo hacer?"

"Usa la cabeza, Rodzina —me dije—, papá y mamá no están aquí, pero tú sí. Usa la cabeza".

Clip-clop, clip-clop. Ya casi no se veían las luces de Grand Island. Después de pensar un rato, dije:

—Me ha sorprendido mucho que quieran llevarme con ustedes, considerando mi origen polaco y todo eso.

—No sabemos mucho de polacos —dijo Peony.— ¿No son judíos?, ¿verdad?

—No —contesté.

—¿No son de color? —preguntó Oleander.

—No.

—¿O italianos?

—¿O españoles?

—¿O franceses? No quiero a uno de esos paganos en mi casa.

—No, no, no son nada de eso.

—¿Los polacos son como debe ser un buen cristiano?

—Oh, sí, ya lo creo. Rezamos cuatro horas al día. No trabajamos los domingos ni los miércoles ni los viernes. Ni los días de fiesta ni las vísperas de los días de fiesta ni...

Oleander me miró, refrenando un poco los caballos.

—Y nunca nos quitamos la ropa. Nunca, ni siquiera para tomar un baño. Raramente nos bañamos. De hecho, no nos bañamos, *nunca*.

Ahora le tocó mirarme a Peony.

—Y comemos carne sin parar. Montones de carne. Buey y cerdo, beicon y costillas de cordero. Vamos, que nos gusta la carne una barbaridad, incluso los gusanos de tierra nos los comemos... con pan. Y yo soy muy polaca, polaca hasta los tuétanos, polaca de todo corazón.

Esperé a ver como se tomaban aquel cuento chino. Los clip-clops fueron espaciándose cada vez más hasta desaparecer por completo.

—Problemas —dijo Oleander.

—Problemas gordos —completó Peony mirándome de arriba abajo. Clip-clop, clip-clop de nuevo, cada vez más deprisa, hasta que completamos un gran círculo y enfilamos el camino de vuelta.

Me hubiera bajado del carro y me hubiera puesto a bailar allí mismo.

Los granjeros y sus esposas se habían ido a sus casas con los huérfanos que habían comprado. El señor Szprot y la doctora estaban fuera, alineando a los restantes para llevarlos al tren. Peony se acercó al señor Szprot y rasgó el famoso papel justo en sus narices. Subieron al carro y se marcharon sin huérfano alguno. Apuesto que no hubieran encontrado a nadie que les pareciera suficientemente bueno.

El señor Szprot se quedó mirándome con cara de tormenta inminente, así que, tratando de esconderme detrás de la doctora, me puse en fila con el resto de los niños que nadie había querido. La mayor parte de los mayores ya no estaban. Horton había desaparecido... porque alguien lo eligió, esperaba. Pero allí estaban un par de los más pequeños, Nellie y Evelyn, y lo que quedaba del grupo a mi cargo: Lacey, Chester, Spud, Mickey Dooley, Joe y Sammy.

—Rodzina —dijo la doctora en cuanto me vio— el señor Szprot dice que eras uno de los elegidos. ¿Por qué has vuelto?

—Parece ser que no les gustan los polacos.

Me miró frunciendo el ceño.

—No puedes incumplir los tratos que hacemos por ti. Tú no estás a cargo de esto. Nosotros sabemos lo que más os conviene y somos los responsables de vuestro bienestar. Nosotros...

"¿Y qué me dice de su responsabilidad hacia Gertie? ¿Qué me dice de su bienestar?". La doctora seguía y seguía. Finalmente, nos dirigimos al tren.

Había más asientos vacíos que antes: me di cuenta cuando me senté y me rasqué las rodillas. ¿Y ahora qué? ¿Tenía que quedarme en aquel tren para siempre tal como había temido? ¿Me venderían a otro extraño? ¿Daría la doctora su consentimiento para que pudiera volver al orfanato?

Sabía que tenía que dejarme de tantas cavilaciones, pero por un instante imaginé que el tren se dirigía al este, en lugar de al oeste, y que papá y mamá me esperaban en la terminal de Chicago.

"Debes tener hambre después de un viaje tan largo", diría papá asiendo mi mano. Mamá me tomaría de la otra e iríamos juntos a casa de tía Manya, a cenar sopa de pepinillos y pan de centeno. Les hablaría sobre Mickey Dooley y los sándwiches de jalea, sobre las viejas señoras Peony y Oleander, y todos reiríamos, teniendo cuidado para no despertar a los pequeños.

En ese momento, me eché a llorar; lloré muy bajito, para poder dormir. Para que nadie, ni siquiera yo, pudiera oírme.

·5·

EL OESTE DE NEBRASKA

—Vuelve a tu sitio, Rodzina —dijo la doctora sin necesidad de abrir los ojos en cuanto me deslicé a su lado en el asiento.

—Quiero volver al orfanato.

—Ya te he dicho que los orfanatos no están equipados para acoger a los niños permanentemente.

—No iré a ninguna parte para ser una esclava. Prefiero morirme.

La doctora abrió los ojos.

—La gente que acoge huérfanos no quiere esclavos.

—Nadie se lleva a los huérfanos por hacer una buena acción. Lo que quieren son criados gratis. Aquellas ancianas...

—Te hubieran dado un hogar, Rodzina —dijo, con la zeta zumbando como un enjambre de abejas enfurecidas.

—Me hubieran hecho trabajar hasta matarme y no lo hubieran sentido en absoluto.

—Bien, entonces, señorita Brodski, dígame

exactamente lo que quiere y toda la maquinaria de la Asociación de Sociedades de Beneficencia de la gran ciudad de Chicago y del soberano estado de Illinois se pondrá en marcha, y no parará hasta encontrar exactamente el hogar requerido.

Me figuré que estaba de broma pero aún así se lo dije:

—Quizá una familia agradable que no busque una criada sino una hija. Con madre y padre y algunos hijos, chicos quizá, chicos pequeños. Y me gustaría que tuvieran una casa y un patio y un montón de cosas para comer.

Puso los ojos en blanco.

—¿Algo más?

—Bueno, no es necesario que sean polacos. A mamá le hubiera gustado que fueran católicos pero a papá no le preocupaba mucho la religión, así que creo que eso no importa. Él decía que los Brodski habían sido no creyentes hasta el siglo XVI, cuando Latuski se convirtió en obispo de Posen mediante un soborno de 12.000 ducados, y no entraba en sus planes ser el primero en desertar.

—Puedes ahorrarte la crónica, Rodzina —la doctora se quitó los anteojos y se frotó los párpados—. Eres huérfana. Si una familia te ofrece una casa, debes aceptarla.

—*La aceptaré* si no voy a ser una sirvienta. *La aceptaré* si voy a sentirme segura, querida y bien alimentada.

—Lo hacemos lo mejor que podemos. Siempre lo hacemos.

—¿Quiere decir que Peony y Oleander eran lo mejor que ustedes podían ofrecerme?

—Vuelve a tu asiento, Rodzina.

Durante todo el día siguiente continuó el bamboleo y el traqueteo, las paradas y las partidas. Me dolía el cuerpo como si hubiera pasado la noche acarreando piedras en lugar de tratando de dormir. ¿Quién hubiera pensado que el traqueteo y el bamboleo pudieran cansarla y amargarla a una de ese modo?

Por la ventanilla, tan sólo se veían vacías llanuras y más llanuras vacías. Aquí y allá había señales que indicaban la distancia a unos cuantos pebluchos con nombres que traían ecos del oeste: Cruce de la Mula Muerta: 10 millas; Cresta del Caballo Salvaje: 25 millas; Lameparrillas a este lado, Brama de Ciervo a este otro.

Cuando el tren se detuvo en un pueblo llamado Maldita Suerte, el señor Szprot nos hizo bajar para que estiráramos las piernas. El aire olía a tierra y a vacas. Vigilé atentamente a los pequeños para que no se escaparan, fueran arrollados por una vaca o arrastrados por la polvareda.

—Mi padre podría haberle puesto el nombre a este sitio —dijo Spud.

—¿Qué quieres decir? —preguntó Sammy.

—Él trabajó en el aserradero, ahorró y compró un pequeño comercio. Después vendió el comercio y compró un *saloon*. Después empezó a beber, se arruinó y tuvo que volver a trabajar en el aserradero. Después se murió.

—Cuando mi padre bebía me arreaba con la sartén; decía que para librarme de la horca —contó Joe.

—El mío me daba latigazos en las plantas de los pies para que no se pudieran ver las marcas —añadió Chester.

En ese momento todos me miraron.

—Mi papá no me pegó nunca —aseguré.

—Te digo lo que pienso de eso en dos palabras: im-posible —dijo Chester.

—¡Decir troo-o-las es de malvados redomaaaados...! —canturreó Mickey Dooley—. Mentir es pecar. En el Cielo no podrás entrar.

—Nunca —repetí. Y no era mentira. Mi papá era grande, grande y con manos fuertes. Siempre estaba diciendo que los Brodski trabajaban con la cabeza y no con las manos, pero fueron sus manos las que nos salvaron. Iba a los establos todos los días, excepto los domingos, en los que cortaba las gargantas de los cerdos nacidos para ser convertidos en jamones, manteca y cuero para la gente de América.

Papá permanecía de pie, con sangre hasta los tobillos, mientras los chillones cerdos llegaban colgados por las patas de una correa elevada. Según iban pasando, él les cortaba las gargantas con un gran cuchillo. Pasaba tantas horas allí que los pies se le hinchaban y se le llenaban de ampollas. Durante el verano, tenía que ponerse un pañuelo sobre la nariz y la boca para librarse de moscas, mosquitos y de su propio sudor. En invierno la fría nave se llenaba del vapor del agua y la sangre calientes, y él apenas distinguía si cortaba el cerdo o su propio brazo. En cualquiera de las estaciones llegaba a casa apestando a cerdos y a miedo. Pero con todo su tamaño y sus grandes manos, era un hombre gentil...

—Vigila a los niños un minuto —le dije a Spud mientras subía al tren.

—¿Señorita doctora? —dije de pie frente a su asiento.

Ella abrió los ojos y suspiró.

—Y no tienen derecho a pegar.

Volvió a cerrar los ojos.

A la mañana siguiente, mientras el señor Szprot, con el cigarro entre los dientes como de costumbre, dormía y la doctora leía su libro, me dediqué a contemplar cómo pasaba Nebraska por la ventanilla. Poco a poco, se fue organizando un jaleo considerable. Los chicos, plantados en el pasillo, se estaban quitando los zapatos y los calcetines.

—¡Como una patena! —dijo Chester mirando el pie derecho, negro y lleno de mugre, de Sammy—, apuesto a que es el pie más sucio de este tren.

— 81 —

—Apuesto a que no —contestó Sammy.

Apuesto: la palabra mágica.

La mitad del cargamento de huérfanos se congregó en el pasillo discutiendo, apostando y mirando el pie de Sammy y los suyos propios. En ese momento, Sammy se quitó el otro zapato y agitó en el aire el pie *izquierdo*. Tenía razón: *ése* era el pie más sucio del tren. Huesos de melocotón y canicas fueron a parar al bolsillo de los remendados calzones de Sammy.

Poco después, todos comenzaron a deshilachar sus calcetines. Puedo asegurar que no entendía para qué. Silbando por un hueco entre los dientes, Chester enrolló el hilo alrededor de una vieja manzana seca. Continuó ovillando y ovillando y, después de largo rato, obtuvo una pelota.

¿Qué es lo que pasa entre niños y pelotas? Que si hay nieve, o una piedra, o una manzana y algunos calcetines, habrá una pelota; y si hay pelota, hay juego. Lo sé por mis hermanos, Toddy y Jan, que convertían cualquier cosa redonda o casi redonda en una pelota.

Una vez que mamá tuvo que salir y sabía que iba a volver tarde, me dio dinero para que comprara carne picada y pudiera tener la cena preparada cuando papá y ella regresaran. Mientras yo partía el pan, Toddy se apropió de la carne, hizo una bola con ella y se la tiró a Jan. La bola voló varias veces de aquí para allá hasta que, a causa de un potente tiro de Jan, se estampó contra el techo y se quedó allí.

—¡Bajadla de ahí ahora mismo! —aullé, dándole un puñetazo a Jan en el brazo—, ¡o le decís vosotros a papá que su cena está pegada al techo!

Toddy alzó a Jan, pero éste no pudo alcanzarla. Yo alcé a Jan, pero ni por esas. Toddy colocó debajo el cajón de madera que usábamos como mesa, yo me subí al cajón, alcé a Jan y éste, por fin, pudo despegarla. Cuando él la tenía en las manos, mis pies se colaron por el cajón de madera y cajón, bola, Jan y yo caímos al suelo; la carne rodó tranquilamente hasta una esquina.

Toddy y Jan repararon el cajón como pudieron mientras yo desempolvaba la bola y hacía con ella una torta de carne. Papá dijo que era la mejor que había comido en su vida.

En ese momento, mis recuerdos fueron interrumpidos por un *plaf* en la cabeza.

—Perdón, Nariz de Patata —dijo Chester recuperando la pelota. Por lo visto, Sammy, Joe, Chester, Spud y Mickey Dooley estaban jugando al béisbol en el pasillo.

El vagón se llenó de gritos y vítores apagados:

—¡Fuera!

—¡Ni de lejos!

—¡Abajo, Kelly, abajo!

—¡No, yo!

—¡Ese no es King Kelly! ¡King Kelly soy yo!

—Yo soy Cap Anson, la estrella del equipo más grande de la liga, los Chicago White Stockings —dijo Joe.

—¡Yo quiero ser el bateador! —gritó Sammy.

—¿Tú? —chilló Mickey Dooley—. ¡Tú no le acertarías al trasero de un toro ni con un contrabajo!

Sammy se limitó a reírse... Sammy, que le cascaba a Joe siempre que podía... pero con Mickey Dooley no se enfadaba nunca. Con Mickey Dooley no se enfadaba nadie. ¿Cómo se podía enfadar uno con un chico que sonreía continuamente?

Lacey se puso en pie sin hacer ruido, los observó un momento y preguntó:

—¿Qué estáis haciendo?

—Jugar al béisbol, boba —contestó Spud.

—¿Qué es béisbol?

—¡Buenoooo! Sólo es el juego más grande del mundo. ¡Estás fuera! —le gritó a Sammy, tan fuerte que Lacey pegó un respingo.

—¿Cómo se juega?

—¡Quita de en medio, Cabeza Repollo! Tengo que jugar y me estás estorbando —Spud se volvió hacia Sammy—. ¡Fuera, no es buena, estafador de bajos fondos!

—Ro, cuéntamelo tú. ¿Cómo se juega?

No estaba segura porque nunca había visto un partido real, pero supuse que podía explicarlo. Después de mirar unos minutos cómo jugaban, le dije:

—Vale. Mira, el lanzador escupe en la bola y se la lanza al bateador (es el chico del cucharón).

—¿Por qué? —preguntó ella—. ¿Quiere atizarle?

—Sí, pero el bateador no quiere que le den... por eso le da él a la bola, digo yo.

—¿Por qué está el bateador moviendo el cucharón de acá para allá todo el rato?

—Trata de mantener la bola escupida lejos de él. Si por casualidad le atiza a la bola con el cucharón, echa a correr e intenta esconderse y, si ese tipo de ahí lo atrapa antes, bueno..., entonces se ponen a discutir.

—¡*Home run*! ¡A casa! —gritó Chester a Joe.

¿Irse a casa? ¿Pero cómo iban irse a casa, decía yo, si eran huérfanos, o similar, como el resto de nosotros? Casa. Ya me había puesto demasiado triste como para seguir hablando con Lacey, así que me limité a cerrar la máquina explicativa.

El partido de béisbol pronto se transformó en combate de boxeo. Chester se sentó sobre Spud, y Mickey le jaleó:

—¡Dale fuerte! Atízale en la mocha. Ahí le duele.

Spud y Chester rodaron juntos por el pasillo como una bola de bolera, y fueron a chocar directamente contra el señor Szprot. Éste se despertó, la doctora se sobresaltó y el juego se acabó en un santiamén.

—¡A SENTARSE! —bramó el señor Szprot—. ¡No quiero oír ni una mosca, panda de golfos! Sentaos y dad gracias a Dios por estar aquí en vez de estar durmiendo en las calles de Chicago.

Al principio hubo un silencio absoluto, pero poco después Mickey Dooley susurró:

—Como dijo la madre mofeta a su mofetito: "Atufando, recemos"

Se produjo una explosión de carcajadas, y yo pensé que el señor Szprot nos iba a echar del tren allí mismo, en Louse Creek, Nebraska, pero la doctora se le adelantó.

—Rodzina —dijo—, haz que este hatajo de alborotadores se calme.

—Pero señorita doctora, yo no puedo...

—¡Rodzina!

En vista de las circunstancias, decidí contarles una historia que siempre había tranquilizado a mis hermanos. Toddy y Jan no eran gemelos, pero nacieron tan seguido y se parecían tanto, que todo el mundo pensaba que lo eran, porque no podías decir dónde acababa uno y dónde empezaba el otro. Cuando dejaron de ser bebés y comenzaron a ser niños, lo hacían todo juntos. Incluso morir lo hicieron juntos en aquel incendio... aquel incendio que devoró la casa de tía Manya mientras ella los cuidaba una noche. Después de aquello, tía Manya se marchó y no la volvimos a ver; la pequeña tía Manya que olía a naftalina y a sopa de tomate. Yo les contaba cuentos todas las noches y continué después de que murieron, aunque no estuvieran allí para escucharlos. Durante mucho tiempo, en la oscuridad, conté cuentos a dos niñitos muertos.

Los huérfanos se reunieron en la parte delantera del vagón, al amor del calor de la estufa. Yo me acomodé en mi asiento de ventanilla y, metiendo el dedo en los nuevos agujeros de mis medias, comencé a contar la historia.

—Os contaré lo que le pasó a mi papá cuando ganó un cerdo en una rifa. Él pensó que podría llevarlo a casa atado con una cuerda como si fuera un perro, pero el cerdo, como no era un perro, se limitó a gruñir y se sentó en el suelo. Papá trató de arrastrarlo. El cerdo chilló y se retorció tanto que se escapó, y papá tuvo que perseguirlo por calles embarradas hasta que lo agarró de nuevo. Papá decidió entonces que el cerdo y él irían a casa en tranvía.

—¡Anda ya! —dijo Sammy—. No se puede meter un cerdo en un tranvía.

—Ya lo sé, y mi papá también lo sabía, por eso fue a una panadería y pidió un saco de harina. Metió al cerdo en el saco, lo cerró bien con una cuerda y esperó a que el tranvía llegara. Pagó su billete, se sentó y deslizo el saco bajo su asiento. El cerdo entonces empezó a chillar y, para disimular el alboroto, papá empezó a cantar.

—¿Qué cantaba? —preguntó Lacey.

—Eso no importa, él...

—Pero yo quiero saberlo. ¿Qué cantaba?

—¡Por el amor de Dios! *Silver Threads Among the Gold* quizá, o *The Song of the Polish Legion*. ¿Puedo seguir?

Lacey asintió y sonrió.

—Al fin, el cerdo se calló.

—¿Se murió? —preguntó Lacey.

—No, se quedó callado. No como tú. Papá se recostó en el asiento y se tranquilizó. Y entonces, en ese momento, un olor horrible llenó el tranvía. El aire se volvió verdoso y espeso. El hedor salía del asiento de papá. La gente empezó a mirarle fijamente. Todos refunfuñaban y se alejaban de él. Al final, el tranvía llegó a una parada y el conductor se dio la vuelta para mirar a papá. Papá miró al saco y a la mancha oscura que se extendía lentamente sobre él. Se puso en pie, agarró la bolsa con el cerdo y las... las cosas del cerdo, saludó tocándose el sombrero y bajó del tranvía.

Los huérfanos sentados a mis pies se echaron a reír y a palmotear con las rodillas, calladamente, para no sacar otra vez de sus casillas al señor Szprot.

Acabé de contar la historia:

—Todo lo que quedaba hasta llegar a casa tuvo que recorrerlo con aquel saco que atufaba bajo el sol. Incluso en Honore Street pudimos oler que llegaba. Comimos cerdo durante un mes y, cada vez que lo comíamos, nos partíamos de risa.

—Nunca hasta ahora había oído hablar de un saco lleno de cerdo —comentó Mickey Dooley—, pero una vez conocí a un hombre que llevaba un saco lleno de quepasas.

—¿Qué son quepasas? —preguntó Lacey.

—Ya ves. ¿Qué pasa contigo?

El Mickey Dooley de siempre. No se le podía sacar nada que no fuera una broma. Era tan feliz como una mosca sobre una torta. Podría haber estado aburrido de sus propias bromas pero ¡qué va!, era el chico más feliz que había conocido en mi vida.

En ese momento, todos empezaron a contar anécdotas divertidas sobre sus familias.

—Mi papá —dijo Spud— era tan perezoso que prefería contratar a alguien para que hiciera su trabajo.

—Nosotros éramos tan pobres —dijo Sammy— que hasta las cucarachas pasaban hambre.

—Mi madre era la tejedora más rápida que os podáis imaginar —interrumpió Mickey Dooley—. Por la noche se llevaba sus madejas a la cama y de vez en cuando escupía un calcetín.

Así pasó un nuevo día en el tren, llevándome de un cada vez más alejado Chicago a un cada vez más cercano quién-sabe-donde. Odiaba los sándwiches de jalea, odiaba lavar caras, odiaba tener que mediar en peleas y odiaba contar cuentos.

Poco antes de la hora de cenar, todo quedó en calma y tuve algo de tiempo para mí. Miré por la ventanilla. Pronto estaríamos en Cheyenne, y quizá otra persona quisiera llevarme, y quizá yo no querría irme con ella. ¿Qué iba a ser de mí? A lo lejos, a través del polvo creciente, se podían ver tipis indios, manadas de animales de pastoreo y oscuras sombras desconocidas. Mis pensamientos eran tan lúgubres como la noche.

El tren se detuvo en una cantina pero, ocupados como estábamos con nuestras patatas frías y nuestras manzanas arrugadas, no bajamos. La torre de agua, con un anuncio pintado sobre ella que decía: "Jarabe Estomacal de Eucalipto de los Indios Picapedreros", estaba rodeada por carretas de colonos. Las familias atendían a los caballos, montaban tiendas de campaña y descargaban grandes cacharros de hierro, mecedoras y baqueteados baúles atados con cuerdas.

Imaginé a papá y mamá allí con ellos, yendo al oeste. "Rodzina mía —diría papá—, mi rosquillita de mermelada, baja de ese tren y ven a nuestra carreta. Iremos juntos al oeste y abriremos un restaurante donde serviremos los fideos de huevo y la torta de semillas de mamá".

—Polaca —dijo el señor Szprot desde la puerta del vagón—. Ven aquí.

¿Y ahora qué? Me levanté y caminé cansinamente hacia él.

—Tengo un nombre —le contesté.

—¿Qué? —preguntó.

—Yo, que tengo un nombre. Rodzina. Que me llamo Rodzina.

Él y la doctora bajaron del tren y me indicaron que les siguiera.

—Polaca imb... —empezó el señor Szprot, pero la doctora le interrumpió.

—Señorita Brodski —dijo—, tenemos que mandar unos telegramas. Mientras lo hacemos debe usted mantener a los niños callados y tranquilos¿Lo ha entendido?

—Y que no se muevan de su sitio —añadió Szprot.

Asentí y subí al tren. Me habían dejado al mando. De la satisfacción, me inflé como un globo.

—Bueno, granujas —dije a los huérfanos a mi cargo—. A cerrar el pico y a no moverse del sitio.

El vagón se llenó de risitas y resoplidos. Les dediqué mi cara repelente.

—¿Qué os hace tanta gracia? —ni una palabra. Miré a mi alrededor— ¿Dónde está Lacey? —el vagón entero se partió de risa.

Spud señaló las carretas por la ventanilla.

—Le he dicho que los armatostes esos son carretas de circo —dijo entre carcajadas— y que había payasos, acróbatas y un elefante. ¡Y la muy idiota se lo ha creído!

—¿DÓNDE ESTÁ? —aullé.

—Se ha ido por allí —contestó—; a ver el circo.

¡Repámpanos! ¡No hacía ni cinco minutos que estaba al cargo y ya me había desaparecido uno de los huérfanos!

—Me voy a buscarla. ¡Vosotros no os mováis de aquí!

La niña *era* tonta de remate, pero de remate. ¡Un circo! Bajé del tren y me dirigí a las carretas.

Para estar a primeros de abril, la tarde era templada y aún era de día. Había gente sentada alrededor de una hoguera y allí, con ellos, estaba Lacey; comía pan de maíz con mantequilla y sonreía.

—Lacey —llamé—, ven aquí.

Todos se volvieron a mirarme.

—¿Tú eres la tipa que le has dicho que esto es un circo? —preguntó una mujer.

—No, ha sido Spud. Le gusta burlarse de Lacey porque es lenta. Vamos, Lacey. Tenemos que volver antes que la señorita doctora y el señor Szprot.

—Eh, espera un minuto —dijo un caballero de largos y flacuchos brazos, y grandes dientes amarillos que parecían las teclas de un piano—. No querrás que el Spud ese se divierta a costa de la pequeña señorita aquí presente —se rascó su nariz quemada por el sol—. Siéntate. No tenemos un circo pero yo puedo hacer esto...

Sacó seis patatas de un cesto e hizo malabarismos con ellas como si trabajara en un music-hall. Sabía que debíamos irnos de allí al instante, pero nunca antes había visto hacer malabarismos con patatas, así que me senté.

—Y yo esto —un anciano sujetó un violín y comenzó a tocar *Turkey in the Straw* mientras un perro blanco y negro andaba sobre las patas traseras y una anciana con bonete amarillo sacaba una cebolla de la oreja de Lacey; además, un niño gordito dio diez volteretas en fila seguidas. Lacey y yo comíamos torta y maíz tostado, bebíamos sidra que nos sabía a gloria después de nuestro régimen de sándwiches de jalea, aplaudíamos y vitoreábamos.

Pero yo estaba preocupada porque teníamos que volver al tren así que, después de unos diez minutos, metimos el resto del maíz tostado en un cono de papel de periódico, dijimos apresuradamente adiós y nos fuimos corriendo.

Cuando llegamos, la doctora y el señor Szprot ya estaban en el tren. En el vagón reinaban la agitación y el ruido. El señor Szprot estaba diciendo:

—¿Se puede saber dónde cuernos está la polaca?

—¡Aquí, aquí! —dije subiendo la escalerilla—. Sólo hemos salido a tomar un poco el aire.

Pasé entre los chicos sentados dirigiéndoles la mirada si-decís-una-sola-palabra-os-casco-una-buena.

—¡Tú, polaca! —dijo el señor Szprot, sujetándome el brazo y zarandeándome—. Eres una inútil. Te quedas en la próxima parada; me da igual si se te llevan unos osos pardos o unos hombres de la luna, ¡pero tú te vas de aquí!

¡Recontra! Lo mismo me podría haber dejado donde estábamos para ser arrastrada por cualquier sinvergüenza a caballo que pasara. Se me revolvió el estómago. En aquel momento me hubiera venido muy bien un poco de Jarabe Estomacal de Eucalipto de los Indios Picapedreros. Una vez que el tren hubo arrancado, los chicos empezaron a reírse y a mofarse de Lacey.

—¿Qué tal el circo, Lacey? —preguntó Spud—. ¿Hay animales, hay payasos y acróbatas?

Los ojos de Lacey refulgieron bajo la luz de gas.

—¡Sí! Y un mago y un perro bailarín. Era maravilloso. Nunca pensé que iba a ver un circo —abrió el cono de papel de periódico, se llevó unos granos de maíz a la boca, masticó y tragó—. Aunque me hubiera gustado que hubiéramos podido quedarnos para ver al elefante.

Todos los chicos miraron hacia mí.

—¿De qué habla? —preguntó Spud—. Eso no era ningún circo.

Sonreí dulcemente.

—A mí creo que lo que más me gustó fue el malabarista —dije mientras me sentaba al lado de Lacey—. El malabarista y la torta.

Dicho esto, todos los chicos del tren corrieron a la parte trasera del vagón y, tropezándose y empujándose para conseguir mejor vista, estuvieron mirando hasta que el tren se puso en marcha y se alejó de las carretas.

El tren perforaba la noche a toda velocidad. Después de largo rato, una cálida estrella roja parpadeó cerca de las vías y llegamos a un diminuto apeadero con ventanas grises y gente esperando fuera. Algunos viajeros bajaron del tren. ¿Dónde iban? ¿Qué querían? ¿Qué buscaban? En un segundo, el tren volvió a partir y los dejó atrás. Todo fue oscuridad de nuevo. ¿Tendrían idea de lo solos que iban a estar?

·6·

CHEYENNE

A la mañana siguiente, me tropecé con Mickey Dooley junto al cubo de agua.

—¿Sabes qué tipo de pez vive en los cubos de agua? —preguntó mirando con los ojos de acá para allá, como de costumbre. No esperó una respuesta, agitó el cucharón en mi dirección y dijo:

—El *cuburón.* ¿Lo captas? El cuburón.

Yo quería continuar con mis lúgubres pensamientos sin que nadie me interrumpiera con chistes de peces.

—¿Por qué no dejas ya de bromear de una vez? —le dije—. Estamos a punto de llegar a Cheyenne y allí nos venderán a los granjeros por una miseria. ¿Es que eso no te preocupa?

—¿*Aguás* te refieres? —preguntó.

—¿Por... —empecé, pero no acabé la pregunta. Su ojo izquierdo se las había apañado para dejar de vagabundear y me miraba de frente. Pude ver su tristeza. Vamos, que me di cuenta de que estaba tan triste como yo. Sólo que él no podía demostrarlo.

Me figuré que lo mejor era seguirle el juego.

—¡Cuburón! Desde luego eres un chaval divertido, Mickey Dooley —dije mientras asía el cucharón que me tendía—. ¡Cuburón!

Cuando me senté, volví a mirar por la ventanilla. La pradera llana y de crecida hierba se parecía a la cara de papá cuando necesitaba un afeitado. Aquí y allá, se veían manadas de animales. Antílopes según Chester, o alces, o ciervos. Búfalos dijo que no, que eso seguro que no.

¿Comida? Manzanas y sándwiches de jalea, por supuesto, pero ahora además el pan estaba duro, excepto donde la jalea lo había empapado transformándolo en una especie de engrudo, y la jalea se había cristalizado y rechinaba al masticarla. También teníamos leche y huevos duros que Szprot había comprado en la última parada, pero a mí me apetecía algo agrio: pepinillos en vinagre, col fermentada o la cabeza de cerdo encurtida que preparaba mamá.

En ese momento, Nelly se acercó a mí y se apoyó en mis piernas.

—No quiero ir al oeste —dijo—. Spud dice que el oeste está lleno de asesinos, pistolas y tiroteos. Me da mucho miedo el oeste.

Parecía más pequeñita y estaba pálida; yo temía que la doctora pudiera deshacerse de ella, como hizo con Gertie, así que dejé mis pensamientos por el momento.

—No, Spud se equivoca, el oeste es un buen sitio para vivir —le contesté. La levanté del suelo y la senté entre Lacey y yo—. Mi mamá me solía contar una historia sobre el oeste, cuando llegamos de Polonia, donde se hablaba de él como de un nuevo país. Parece ser que había un...

—Érase una vez —dijo Nelly, con la nariz goteando sobre mi manga—. Los cuentos empiezan así.

—De acuerdo. Érase una vez en un perdido pueblo de Polonia un sastre llamado Matuschanski. Era un hombre muy alto, con una nariz muy larga y una barba también muy larga. Y era tan delgado que podía pasar por el ojo de su propia aguja, tan delgado que sólo podía comer fideos de uno en uno. Pero era un hombre muy amable y un sastre muy hábil.

Lacey se acercó a Nelly todo lo que pudo para oírme mejor, por lo que las tres acabamos apretujadas junto a la ventanilla.

Continué:

—Un día, una gitanilla que pasaba por el pueblo se cortó el pie con una piedra. Fue a ver al sastre y éste se lo zurció tan hábilmente que ni siquiera le quedó cicatriz. Como pago a sus servicios, ella le leyó el futuro en la palma de la mano: "Si se va de este pueblo el domingo —dijo—, y camina siempre hacia el oeste, encontrará un lugar en el que llegará a ser rey".

Chester y Mickey Dooley se acercaron y se sentaron a mis pies.

—"Bueno —se dijo el sastre—, si no voy, no sabré nunca si ella tenía razón". Dicho esto, *Pan* Matuschanski hizo un hatillo con una aguja, mil millas de hilo y unas tijeras.

—¿Mil millas de hilo? —preguntó Chester—. Imposible.

—En este cuento es posible. Limítate a escuchar. Lo único que el sastre sabía del oeste era que estaba por donde se ponía el sol, por eso se dirigió hacia allí. Después de caminar durante siete días, llegó al reino de Splatt.

—Splatt tenía un montón de problemas en aquel momento. El rey había muerto y encima llovía. De hecho, diluviaba. En todos los demás lugares había sol pero en Splatt no paraba de llover desde la muerte del rey.

—Los habitantes del pueblo se quejaban continuamente: "¡Ay, qué aburrimiento! ¿Quién hará que deje de llover? La lluvia se cuela por nuestras ventanas y chimeneas, inunda nuestros caminos, arrasa nuestras flores y ahoga nuestros peces".

—¡Peces ahogados! —Spud y Joe, que también se habían sentado a mis pies, se rieron tanto que rodaron por el suelo, dándose patadas y puñetazos el uno al otro. Sammy se puso en pie de un salto y los separó, obligando a Joe a sentarse a su lado y rogándome que continuara. Nunca antes había visto a Sammy *interrumpir* una pelea. Era un pequeño milagro.

—Al sastre —continué— le atraía la idea de casarse con una princesa y convertirse en rey. Pensó y no dejó de pensar. Hum. Lluvia. Del cielo cae. Desde que el rey murió. Hum. "¡¡Lo tengo!! —gritó al fin—. Vuestro rey era tan grande y poderoso que cuando murió y fue al Paraíso, hizo un gran y poderoso agujero en el cielo. Seguirá lloviendo hasta que ese agujero no sea cosido".

—Eso no pasa —dijo Spud, que ahora estaba sentado junto a Lacey.

—Aquí pasa —contesté—. Así que *Pan* Matuschanski hizo que los lugareños reunieran todas las escaleras del pueblo, las ataran una detrás de otra y levantaran la gran escalera resultante hacia el cielo. Entonces, llevando con él su aguja y sus mil millas de hilo, empezó a subir la escalera y subió, y subió, y subió. Cuando llegó al cielo vio que, como suponía, había en él un agujero enorme. Se puso a trabajar y cosió, y cosió, y cosió. Dos días más tarde, con los dedos entumecidos y la espalda dolorida, bajó de la escalera.

—El sol brillaba en Splatt. "¡Larga vida al rey!", dijo el alcalde, dándole una cruz de oro entre los vítores y las aclamaciones de la gente. "Y —añadió la princesa, dándole un cetro con piedras preciosas— ¡larga vida a mi esposo!". Y larga y feliz vida tuvieron.

Cuando acabé, Nelly estaba dormida, con la cabeza sobre mi hombro. Lacey se había dormido también, y Mickey, Spud, Chester y Joe habían hecho lo mismo.

Al despertarme, vi que los demás niños se habían ido a sus sitios. ¿Sería ya la hora de la cena...? Cheyenne, la última parada para el tren de los huérfanos, estaba cada vez más cerca. Nos detuvimos unos minutos en medio de ninguna parte. Por la ventanilla se veían lápidas de madera siguiendo el borde del camino, en ellas se leían cosas como: "Llamado a su Hogar, 12 de Agosto de 1880", "Ma Fayeció el 7 de Octubre de 1869", "Lillian Bruxton, madre de 12, abuela de 32, muy amada y muy extrañada, mora con Dios". El suelo estaba lleno de estufas de hierro, sofás, sillas, mesas y ruedas de carretas. ¿Qué acontecimiento terrible habría sucedido aquí?

Me dirigí al asiento de la doctora. Se estaba alisando la falda y examinando los agujeritos que le habían hecho las pavesas voladoras y las cenizas.

—¿Señorita doctora? —pregunté; ella retiró el libro que estaba sobre el asiento contiguo y me indicó que me sentara—. ¿Qué es todo eso de ahí fuera?

—Parece que las vías del tren son paralelas a un camino de caravanas —contestó—. Me imagino que, a medida que el camino se hace más difícil, la gente aligera su cargamento. Las lápidas conmemoran los lugares donde descansan los que son demasiado viejos o están demasiado enfermos para continuar.

Vaya, ¿podéis imaginar a esas pobres gentes tirando el piano de mamá por la parte de atrás de la carreta, porque pesa mucho? ¿O lo que es enterrar a una abuela en esa tierra dura y seca, señalar su tumba con el asiento de una vieja calesa y dejarla atrás? Me sentí tan desolada que se me empañaron los ojos por esa abuela imaginaria, enterrada allí en un lugar desconocido.

Entre aquellos tristes recordatorios había cientos de diminutos montículos de tierra que parecían colinas encantadas. Pequeños animales saltarines, semejantes a ardillas sin cola de mofletes gordezuelos, se mecían y emitían chillidos mientras el tren se ponía en marcha.

—Perrillos de las praderas —dijo la doctora.

Mirándolos me olvidé durante un rato de lo triste que era el mundo.

Sus cuerpecillos peludos salían y entraban de golpe por los agujeros de los montículos, como si desde ellos accedieran a un país subterráneo. Podía imaginar los túneles bajo tierra que conducían a las ciudades de los perrillos de las praderas, a sus ríos y a sus lagos, a sus castillos con su princesa perrilla que llevaría joyas en el pelo y diminutas zapatillas rosas en las peludas patas. Cuando empecé a pensar en su papá y su mamá perrillos, me di cuenta de que aquella ensoñación me estaba llevando donde no quería ir, así que respiré hondo y me senté bien recta. Todas las lágrimas que aún me quedaban por verter, imaginé, podrían formar un lago subterráneo más profundo que cualquiera que hubieran podido ver aquellos viejos perrillos de las praderas.

—¿Señorita doctora? —pregunté otra vez, mirándola.

—Toma —dijo tendiéndome su libro—. Aquí encontrarás las respuestas a tus preguntas.

Dónde emigrar y por qué, se titulaba. La doctora iba a vivir en el oeste, como nosotros los huérfanos, como la gente de la caravana, como el sastre polaco. Parecía que todo el mundo pensaba que el oeste era un buen sitio para vivir, pero ¿por qué iba ella? ¿Habría contestado un anuncio sobre una esposa, como imaginé en Grand Island? ¿O pensaría coser un agujero en el cielo para casarse con un príncipe?

Sabía que la doctora no estaría dispuesta a contestar *esas* preguntas, así que abrí el libro a ver qué decía. Cheyenne, decía, fue llamado así a causa de los indios Cheyenne que vivían y cazaban en aquellas llanuras, aunque ya no quedan muchos porque los blancos, después de poner dicho nombre al lugar en su honor, los mataron. Algunos la llamaban La Ciudad Mágica de las Llanuras pero, con más frecuencia, según el libro, era llamada Infierno sobre Ruedas, debido al peligro y la anarquía del lugar. De hecho, se decía que, desde su fundación, sólo un hombre había muerto con las botas *quitadas*.

Llegamos a la estación a la hora de cenar. El vasto cielo estaba oscureciéndose, pero podían verse tipis, cabañas, tiendas y unas casas de madera paralelas al curso de un arroyo. Una calle embarrada conducía al hotel. Por el aspecto del resto del pueblo, la gente debía estar orgullosa de ese hotel: ¡tenía nada menos que tres pisos! Desde luego, Cheyenne no era Chicago. Supuse que para hacer una ciudad en el territorio de Wyoming sólo hacían falta un puñado de casas, una o dos iglesias de ladrillo y un montón de *saloons*.

El Hotel del Oeste, *Saloon* y Sala de Billar, estaba un poco desvencijado, pero tenía lujosos sofás rojos en el vestíbulo, y olía a cera y a cigarros. Sobre una de sus paredes colgaban cabezas disecadas de pobres animales muertos cuyos ojos de cristal parecían mirar a los míos. Era más que suficiente para quitarme las ganas de cenar.

Por suerte, en el comedor no había cabezas muertas. La cena estaba dispuesta en grandes bandejas, y era maravillosamente bienvenida después de tanto sándwich de jalea. Algunas personas tenían aspecto de banqueros, granjeros o rancheros, pero los más llevaban ropa de piel con flecos, como si acabaran de llegar de territorios inexplorados. Casi esperaba que Daniel Boone se presentara allí y pidiera llevarse a alguno de nosotros a su cabaña.

Nosotros, los huérfanos, nos situamos alrededor de las mesas donde había comida: bandejas de carne, cuencos con nabos y patatas, bizcochos, tortas y pan de maíz caliente. Había platos y tenedores, pero no sillas. Supuse que debíamos quedarnos así y comer de pie. Me pareció muy bien.

Señoras con vestidos largos y delantales sirvieron la comida en los platos. Comí hasta que pensé que me iba a salir del vestido. Después, una señora con cara de torta y un sombrero con pájaros muertos cantó *The Last Rose of Summer*. A continuación, los ganadores del concurso de ortografía de la escuela deletrearon para nosotros sus palabras premiadas: desamparado, empobrecido, indigente, inseguro, marginado. Esas son las que recuerdo, quizá porque fueron las que más me impresionaron.

Un tipo grande vestido con traje negro pronunció un discurso. No le escuché porque estaba ocupada mirando por la habitación. La gente parecía bastante amistosa. Quizá la doctora tuviera razón y no buscaran esclavos para lavar platos y escardar maíz. Quizá habría una familia con padre, madre e hijos, alguien con una casa que compartir que quisiera otro niño, no un matarife de cerdos. Quizá...

Cuando comenzó la elección de huérfanos, el primer elegido fue Mickey Dooley. Se lo llevaban un hombre y una mujer jóvenes que parecían lo bastante amables como para querer un hijo en vez de un criado, pero que también tenían aspecto triste y sombrío. Pensé que Mickey era el chico adecuado para poner chispa en sus ojos y ritmo en sus pies.

—Parecen agradables —le dije cuando pasó por mi lado.

—Me han prometido una habitación llena de *quepasas* —susurró.

—¿Qué son quepasas? —le pregunté como regalo de despedida.

—He conseguido una familia —contestó—. ¿Qué pasa contigo?

Me guiñó un ojo y se marchó con una gran sonrisa en la cara y el sombrero vaquero de su nuevo padre en la cabeza. Me daba pena que se fuera. A veces me ponía nerviosa con tanta broma y tanto buen humor pero, a pesar de eso, había sido bonito saber dónde podía encontrar una sonrisa si la necesitaba.

Los siguientes elegidos fueron Evelyn y varios de los pequeños. Nellie se fue con un hombre y una mujer canosos a los que parecía gustarles mucho y que tenían aspecto de no ir a abandonarla nunca. Como despedida, me mandó un tímido saludo con la mano y una sonrisa llorosa.

Un granjero larguirucho y su esposa se llevaron a Chester y a Spud. El nuevo padre hinchó el pecho con orgullo, como si los chicos hubieran nacido de él justo en aquel momento.

Lacey estaba a mi lado.

—Oye, recuerda, no le digas a la gente que eres lenta —le dije quitándole una mancha de compota de manzana de la barbilla—. No vas a encontrar nunca un hogar como es debido si le dices eso a la gente antes de que te conozcan.

—Pero, ya te lo dije, no quiero que lo descubran luego y dejen de quererme o me devuelvan. Quiero que lo sepan antes —dijo; se volvió y tiró de la manga de lana roja de una mujer—. Hola, señora. Me llamo Lacey y soy lenta. ¿Puedo ir con usted a casa y ser su muchachita?

La mujer se desasió de la manita con una sacudida y se marchó mirando a la niña como si tuviera cagarrutas de pájaro en la cabeza.

—¿Quiere alguien sacar a esa descerebrada de aquí? —dijo—. No la va a querer nadie y está haciendo quedar mal a los otros.

Me dirigí derecha a la dama con el puño en alto. Lacey podía ser lenta y pesada, pero ninguna extraña la iba a llamar eso en mi presencia aunque trajera oro, diamantes y naranjas frescas en una bandeja.

—Quizá Lacey sea un poquito lenta —le espeté— pero tiene la inteligencia suficiente como para saber que es grosero insultar a la gente. Ella lo sabe, a diferencia de otros que tengo delante.

La doctora vino hacia mí. Supuse que me había metido en un buen lío, pero fue a la mujer a quien agarró por el brazo y a la que guió hacia la salida, diciendo:

—Puede que la forma de expresarse de Rodzina sea demasiado franca pero, en cuanto al fondo, estoy de acuerdo con ella. Permítame acompañarla a la salida. No tenemos niños para usted.

¡Vaya! Pensé que quizá la doctora tenía un poquito de corazón bajo esos trajes que estaba prohibido tocar.

Volvió con un hombre viejo y huesudo seguido por un reguero de niños vestidos con ropas demasiado grandes o demasiado pequeñas o, simplemente, horribles de feas.

—Ésta es la joven de quien le he hablado —le dijo la doctora.

—¿Se le dan bien los niños? —preguntó el padre.

La doctora asintió.

—Hace lo que se le dice bastante bien.

El hombre paseó a mi alrededor mirándome de arriba abajo y me tendió la mano para presentarse:

—Somos los Clench —dijo—. Myrna, mi señora, está cuidando de la casa. Éste de aquí es Comadreja. Y Lennard. Emmett. Myra Jane. Purly. Sarah Dew. Lily. Buck. Fred. Loretta. Big Bob. Concertina. Y Grace.

Los niños me tiraron de la falda y de las manos, hablando todos a la vez, excepto el mayor, que se limitó a quedarse apartado y a fulminarme con la mirada. Tenía cara amargada, de pocos amigos, orejotas despegadas y una boca abarrotada de dientes como palas, largos y marrones, así que pensé que podría ser Comadreja, aunque en realidad resultó ser Lennard.

—Necesitamos una chica bien dispuesta para ayudar con los pequeños —continuó el señor

Clench— y para que sea como otra hija para Myrna y para mí. Y tú sirves, sí señor, tú sirves muy bien.

Estaba hecho.

Me sentí como un saco de patatas: pesada, medida y comprada. Pero había dicho que querían otra hija, quizá saliera bien.

Mientras el señor Clench firmaba un papel, me volví hacia la doctora.

—Una familia: con madre, padre y niños —me dijo—. Dales una oportunidad.

Me palmeó el brazo torpemente. Yo asentí.

—Encuentre un buen sitio para Lacey también, ¿lo hará?

—Nos quedaremos aquí hasta el miércoles —contestó—. Hay tiempo de sobra para dejaros a todos bien colocados.

El señor Szprot en persona me acompañó a la carreta y ayudó al señor Clench a subirme a mí y a mi maleta entre sacos de judías y harina. Los niños se encaramaron después y partimos.

Iba aplastada contra la parte delantera de la carreta, encerrada entre comida de los Clench, espaldas de los Clench, y grandes y sucios pies de los Clench. Al principio traté de aislarme lo más posible pero, después, al caer la noche y hacer más frío, incluso el calor de aquellos cuerpos flacuchos fue bienvenido. Avanzamos pesadamente milla tras milla en aquella carreta con aquella pobre mula que parecía necesitar más que nosotros que la llevaran en carro. Cuanto más nos alejábamos de las luces de Cheyenne, más rara me sentía. ¿Dónde nos dirigíamos? ¿Qué iba a ser de mí?

—¿A qué distancia está vuestra casa? —pregunté a Myra Jane. Era más o menos de mi edad, quizá algo menor.

—A unas 25 millas. Está malditamente lejos para venir al pueblo a menudo, por eso venimos dos veces al año para traer harina, judías, sal, tabaco y demás. Y a ti —sonrió—. Nos gusta tenerte. Sólo vemos a alguien dos o tres veces al año, porque nuestro vecino más cercano está a seis millas, y tiene demasiadas malas pulgas como para visitas.

—¡Seis millas! —exclamé—. ¿Y qué pasa con la escuela? ¿Dónde vais a la escuela?

—No vam... —empezó a decir Sarah Dew, pero el señor Clench se dio la vuelta y me pellizcó la mejilla.

—Tú échate y duerme. Llegaremos a casa por la mañana.

Apoyé la cabeza en un saco de harina pero no pude descansar. En el cielo brillaba una diabólica luna gris. Mis pensamientos eran un torbellino. ¿Mañana? ¿Demasiados niños? Sin vecinos. Sin escuela. ¿Dónde me había metido?

Seguimos avanzando; el viento me llenaba los ojos de polvo: si tenía lágrimas en los ojos era por eso. Pero no lloraba, no señor. Tenía lo que había deseado, así que ¿por qué iba a llorar?

·7·

LA PRADERA ESTE DE CHEYENNE

Un pálido sol pugnaba por brillar cuando abrí los ojos. Avanzábamos por un paisaje inhóspito y azotado por el viento. No había edificios, ni casas, ni personas, ni árboles. Me dolía todo el cuerpo de dormir en la carreta y tenía hambre. A pesar de todo, aún pensaba en parte que aquello podía salir bien y que el desayuno nos esperaba en una casa caliente.

Cuando subimos una pequeña cuesta que rompió la monotonía de la llanura y nos detuvimos, Myra Jane gritó:

—¡Estamos en casa!

Miré alrededor. Sara Dew se estaba riendo.

—Estás buscando la casa, ¿verdad? Pues no busques, la tenemos debajo —saltó de la carreta y tiró de una puerta colocada sobre el montón de tierra—. Este es nuestro refugio subterráneo. Lo hemos hecho nosotros mismos. ¿No es genial?

—¿Qué diablos es un refugio subterráneo? —pregunté subiendo la voz.

Lo que era aquello era una cueva o un sótano excavado en la pequeña colina. De no haber sido por la puerta y la chimenea en lo alto, aquella casa no hubiera podido distinguirse de cualquier otra protuberancia de la pradera.

Bajamos de la carreta, algunos con más rapidez que otros, yo más lentamente que ninguno. Un par de escalones hechos con ladrillos de barro conducían a una pequeña habitación de suelo y paredes de tierra. Al entrar, más tierra cayó del techo que, naturalmente, también era de tierra.

El refugio era frío y oscuro como la medianoche. El señor Clench encendió una lámpara de sebo igual a una que teníamos en casa, y yo sentí como si me dieran un puñetazo en el estómago. Casa. ¿Qué pasaría si mamá me estuviera esperando aquí? ¿Y papá? Dirían: "¡Rodzina!, ¡por fin has llegado!", y mamá me daría té con azúcar y torta de miel para desayunar.

Sacudí la cabeza y miré por el refugio. Bajo la débil luz se veían una cama hundida en un rincón, una mesa hecha con una caja de madera con un barril de clavos como silla en otro y una estufa panzuda en medio. Parecía (y olía) como si allí vivieran animales: osos quizá, o perrillos de las praderas, pero no personas, no así, en un agujero del suelo.

Los niños iban de acá para allá, mirando esto y tocando aquello, como si fueran felices por haber vuelto. Una tos violenta y repentina nos hizo mirar, tropezándonos unos con otros de lo apretujados que estábamos, hacia la cama de la esquina. Allí yacía una mujer de pelo revuelto y cara triste y delgada que empezó a mover las huesudas manos nerviosamente.

—Ésta de aquí es Myrna Clench —me dijo el señor Clench; en el aire helado cada vez que una palabra salía de su boca se formaba una nubecita de vapor—. Está un poquito mala.

—Hola, señora —dije haciendo una especie de reverencia que me pareció apropiada, pero no pensé en acercarme a ella porque no parecía estar un poquito mala, parecía estar enferma de verdad.

El señor Clench me empujó para que me acercara.

—Ésta es Rodzina, Myrna, va a vivir con nosotros —me pellizcó la mejilla y me hizo dar una vuelta para que me viera por todas partes—. Es robusta, ¿verdad?

Allí me quedé de pie, con los hombros hundidos contra el frío y frotándome las manos para calentármelas. Ahí estaba, lejos del tren, con una mamá, un papá, unos niños y una casa..., y todo iba mal. No quería estar allí. Quería ir a mi casa. A Honore Street.

Mientras el viento aullaba en el exterior, nos arrimamos unos a otros para desayunar judías frías y lo que según Myra Jane era torta de cerdo pero que a mí me supo como basura de la semana anterior. Los Clench tragaban como cerdos y gallinas, se relamían los labios y peleaban para comer más que los demás. Tuve que apartar y empujar como ellos para conseguir mi ración.

Más tarde, Myra Jane echó fuera a los chicos y colocó a los más pequeños al lado de la estufa.

—¿Dónde está vuestro excusado? —le pregunté.

—Pa dice que nuestro excusado es el ancho mundo y que nadie tiene uno mejor, pero Sarah Dew y yo cavamos una zanja para nosotras. Puedes usarla si después lo tapas con la pala. Pero cuidado con los chicos: están por ahí fuera buscando madera de chaparral y papas de búfalo para el fuego.

Entendía lo de la madera, pero... ¡¿papas de búfalo?!

—Cagarrutas secas —contestó Myra Jane cuando le pregunté.

Me estremecí. ¿Cocinaban esas tortas de cerdo sobre *cagarrutas* secas? ¿Pero a qué clase de sitio había ido a parar? En Chicago no teníamos gran cosa, pero como combustible usábamos carbón que sacábamos de las vías de depósito del ferrocarril, cajas rotas de la tienda de ultramarinos y, a veces, periódicos. Además teníamos un excusado de verdad en la parte de atrás de la casa, con una puerta y un tejado.

Después de usar la zanja y la pala, contemplé la ventosa, fría y solitaria pradera. El pelo se me enmarañaba con el viento y me goteaba la nariz, pero allí al menos había espacio y aire fresco, y no se estaba muriendo nadie.

Al volver, Myra Jane me enseñó a hacer apretados ramilletes retorciendo heno y hierbajos para la estufa, por si los chicos no tenían suerte con las cagarrutas de búfalo. Sospeché que gastaban una terrible cantidad de tiempo en buscar combustible y en hacer fuego para calentarse. Y eso que estábamos en abril, ¿qué sería aquello en enero? Me entraron escalofríos sólo de pensarlo.

—¿Dónde está tu Pa? —pregunté a Myra Jane. No le había visto desde que llegamos.

—Cazando, pescando o cavando. No para mucho por aquí. Nosotros hacemos todo lo que hay que hacer.

Por lo visto, Myra Jane, Sarah Dew, Lily y Loretta lavaban, zurcían, cocinaban y cultivaban un pequeño huerto en verano. Concertina, que tenía tres años, cuidaba a la pequeña Grace. Los chicos reparaban las grietas del refugio, buscaban combustible y pescaban algo cuando los ríos tenían agua. Se turnaban para matar y despellejar conejos, y para ir a buscar agua al arroyo que corría a dos millas de allí.

—Y Lennard es un buscador de huesos —añadió Myra Jane.

—¿Un qué?

—Buscador de huesos. ¿No sabes qué es? Recorre la pradera buscando trocitos de huesos de búfalo o de vaca. Los vende cuando vamos al pueblo.

—¿Pero para qué diablos quiere la gente trocitos de huesos?

—Lennard dice que los convierten en botones, fertilizante y ballenas para cuellos. Eso no nos importa siempre que saque dinero para las judías, el tabaco de pa y demás.

La señora Clench empezó a toser otra vez.

—Myra Jane, Sarah Dew, Lennard, cualquiera — llamó con voz débil.

Nadie le hizo el menor caso. Volvió a llamar.

Me puse en pie y dije:

—Creo que *voy* a tener que atender a *vuestra* mamá —pero eso no avergonzó a ninguno lo suficiente como para obligarles a hacer algo, así que, finalmente, me acerqué a ella.

—Necesito usar la bacinilla —me dijo—, pero está demasiado llena.

¿Bacinilla? ¿Pero qué demonios era una bacinilla? Señaló una oxidada lata de café que al parecer hacía las veces de orinal. No me importaba mucho vaciarla. Había hecho cosas así por mamá cuando estaba enferma. Llevé la lata fuera y tiré el contenido en la zanja (después de ver de dónde soplaba el viento para asegurarme de que dicho contenido no cayera sobre mí). La enjuagué con un poco de agua del barril de agua de lluvia, la llevé dentro y ayudé a la señora Clench a usarla. Después arreglé su cama todo lo que pude. Las sábanas y la colcha estaban raídas y mugrientas, y por ellas pululaban chinches del tamaño de ciruelas claudias. También le arreglé el pelo estirándoselo hacia atrás y atándolo con un trozo de cordel que saqué de la manta. Me lo agradeció una y otra vez.

—A mis propios hijos les importo un comino —dijo.

Se podría pensar que lo dijo con tristeza, pero no era así. Se limitaba a constatar un hecho, como si dijera: "En invierno hace frío". Eso era lo más triste de todo.

—¿De dónde eres, chica? —me preguntó.

Le conté algunas cosas de Chicago, le dije que mamá y papá habían muerto, y le hablé sobre el tren de huérfanos.

—Los de tu familia no eran enfermizos, ¿no?

—No, sólo desafortunados, creo.

—Eso está bien. ¿Eres tan fuerte como aparentas?

—Espero.

—¿Buenos dientes?

—Lo bastante buenos como para comer con ellos —estaba confundida con tanta pregunta.

—Bien, bien —dijo cerrando los ojos.

—Vosotros, niños, tenéis que cuidar a vuestra madre —les dije retorciendo ramilletes otra vez.

—No sirve de nada —dijo Myra Jane—. Le das agua, le estiras las sábanas, la limpias y, antes de que te des cuenta, quiere que lo hagas otra vez.

—Pero necesita vuestra ayuda. Es vuestra mamá.

—No por mucho tiempo. Pa dice que se puede morir en cualquier momento.

No podía creer lo que estaba oyendo.

—¿Pero no os importa? Mi mamá está muerta, y yo daría cualquier cosa por tenerla a mi lado.

Una vez, después de su muerte, encontré un mendrugo de pan olvidado en el arroyo y me lo llevé a la boca como un perro hambriento. "¿Qué pensaría mamá si me viera?", me pregunté. En un instante, toda mi pena, mi pérdida y mi añoranza me golpearon con tal fuerza que me tendí allí, en aquella helada calle de Chicago, y me eché a llorar. Los que pasaban tenían que esquivarme para ir dondequiera que fueran. Sí, hubiera dado cualquier cosa por tenerla a mi lado.

Myra Jane me dio un codazo.

—¡Digo, que de qué murió!

—¿Murió de tisis galopante como la que tiene nuestra mamá? —preguntó Sarah Dew.

—No. Era otra cosa —contesté.

El día que el señor Wcydozky nos dijo que papá había muerto en los establos porque un caballo encabritado, a consecuencia del olor y el ruido de los cerdos, le había coceado en la cabeza, mamá empezó a morir. Se fue debilitando cada vez más; por eso cuando las fiebres la atacaron se la llevaron sin la menor dificultad.

—La cuidé lo mejor que pude, le llevé agua, le cepillé el pelo, le lavé la cara. Vosotros podéis hacer lo mismo por vuestra mamá.

Pensé en todos los huérfanos que darían hasta su último níquel (si lo tuvieran) por tener una mamá, enferma o no. Se me humedecieron los ojos y me los sequé con el vestido, pero juré que era por el humo de la estufa.

—Pa dice que no nos preocupemos, que nos conseguirá una nueva mamá —dijo Sarah Dew.

—Pero sois una familia, tenéis que cuidar unos de otros.

De pronto, Myra Jane se levantó, agarró una escopeta de la pared y me apuntó con ella. "¡*Psiakrew*! No debería haberles dicho nada —pensé—. Myra Jane se ha vuelto loca de remate. ¡Me va a disparar y moriré siendo huérfana!"

Movió un poco el cañón a la derecha antes de apretar el gatillo. El disparo fue casi tan fuerte como los latidos de mi corazón. Se esparció tierra por todas partes.

—¡¿Estás loca?! —grité—. ¡Disparando eso aquí!

No dijo nada, pero se agachó y levantó una serpiente del suelo, una serpiente amarilla con rayas naranja de aspecto peligroso.

—Myra Jane —dije—, me has salvado la vida.

Odiaba a las serpientes más que al Káiser, al Demonio y a Otto Bismarck juntos, como decía papá.

—Es sólo una serpiente ratonera hambrienta que iba en busca del nido de ratones del techo —explicó—. Así no hará daño a nadie, y no está mal para comer.

¿Comer? Yo no. Ni hablar. A lo largo de mi vida había comido patas de cerdo, sangre de pato y estómago de vaca, pero no pensaba comerme ninguna serpiente. Ni hablar.

Sarah Dew trajo una cazuela llena de agua del barril de lluvia. Myra Jane echó unas verduras, unas patatas mustias y la serpiente troceada.

—Estofado —me dijo sonriendo.

—¿Qué más coméis por aquí? —le pregunté, con la esperanza de que hubiera algo más que serpiente estofada y torta de cerdo.

—Sobre todo liebre, perrillos de las praderas, pez gato, gallina con salvia... cualquier cosa que Pa o los chicos encuentren por ahí. En primavera cultivamos algunas verduras y cosas antes de que llegue el calor y se seque todo y se fastidie. En otoño hay ciruelas y uvas silvestres, y cerezas. Y siempre tenemos judías.

¡Me iba a morir de hambre! ¿Cómo se podía vivir a base de serpientes y perrillos de las praderas? ¿Sin cerdo asado con pasas? ¿Sin col agria? ¿Sin torta de especias o limonada fresca o rollitos de col rellenos? Me gruñó el estómago y suspiré.

El señor Clench llegó cerca de la hora de la cena.

—Huele estupendamente —dijo—. Siempre puedo confiar en que mis chicas me preparen una cena digna de un rey.

Se relamió y me dirigió una gran sonrisa mientras se sentaba a la mesa sobre el barril de clavos. Sarah Dew le dio un cuenco de estofado y yo retiré una taza llena para la señora Clench. Los demás se colocaron alrededor de la cazuela y compartieron el estofado con una única cuchara. Las primeras veces que me llegó la cuchara, no quise comer pero, finalmente, me sentí tan hambrienta por el olor, los ramilletes de heno que había retorcido y las atenciones a la mamá, que tomé la cuchara y tragué una buena cantidad de estofado de serpiente. Estaba caliente y no sabía demasiado mal. No era como las *kietbasa* ni el cerdo asado pero era algo mejor que los viejos sándwiches secos de jalea. Hubo silencio en el refugio hasta que se terminó la última gota.

Cuando la taza de estofado de la señora Clench se enfrió un poco, se lo fui dando cucharada a cucharada. No quería comer, retiraba la cabeza y se daba la vuelta, así que la distraje contándole cosas del tren de huérfanos y de la doctora.

—¿Una señora médico? —preguntó—. ¿Estás segura?

—Segurísima. Ahora sólo es una niñera, claro, en un tren lleno de huérfanos, y no parece que piense mucho en su trabajo.

—¡Una señora médico! ¡Qué cosas! —la señora Clench tragó un poco de estofado y sacudió la cabeza—. Yo quería ser maestra de escuela. Pensé que me gustaría, todos vestidos de algodón almidonado, señalando un mapa y diciendo: "¿Cuál es el nombre de este estado de aquí al este de Wyoming?"

—¿Por qué no lo hizo?

—Me casé con Clench cuando tenía catorce años, tuve todos estos niños y pronto estaré más muerta que un gorro de piel de castor. Ésa es mi historia.

—¿Sus padres dejaron que se casara con catorce años?

—Mamá había muerto, mi padre era un borracho y nadie me preguntó si quería casarme o no —me miró—. ¿Cuántos años tienes? Parece que tienes quince o así.

—Doce —contesté—. Y no quiero casarme ni ser maestra ni doctora —en ese momento estaba pensando en mí misma con tal concentración que me olvidé por completo de darle a la señora cucharadas de estofado—. Yo lo que quiero es ir a la escuela, volver a casa y ayudar en la cocina, y hablar de las cosas que me han pasado durante el día. Quiero tener a alguien que me diga cuando debo irme a la cama y que me cueza huevos por Pascua —se me hizo un nudo en la garganta—. Lo que de verdad quiero es que mi papá y mi mamá vuelvan.

La señora Clench se echó sobre la almohada y me despidió con la mano.

—Estoy molida con tanto comer y hablar —dijo.

Ayudé a Sarah Dew y Myra Jane a restregar los platos, las cucharas y la cazuela.

—Myra Jane —dije—, si me enseñas donde está la escoba, barro un poco.

Myra Jane resopló.

—Todo el heno y la hierba seca que tenemos la quemamos. No queda nada para malgastarla en fruslerías como escobas. Más vale que vayas aprendiendo eso.

Quizá fuera lo mejor, porque no hubiera tenido idea de cómo limpiar aquello: no hubiera podido decir dónde acababa la tierra y dónde empezaba la casa.

Lennard alimentó el fuego, y los otros sacaron mantas de caballo y edredones de un baúl de madera. Las chicas nos envolvimos en las mantas y nos tendimos en el suelo, menos Concertina y Grace que dormían con sus padres.

Los chicos salieron del refugio.

—Duermen en la carreta —dijo Myra Jane.

—¿Pero no hace mucho frío ahí fuera? —pregunté.

Lennard tropezó conmigo al salir.

—¿Por qué me odia? —pregunté.

—No te odia a ti. Odia a todo el mundo —contestó la niña que estaba a mi derecha. ¿Lily? ¿Loretta?

—¿Por qué?

—Porque Dios le hizo así, supongo —dijo con indiferencia.

Sarah Dew se acurrucó a mi lado.

—Quiero dormir cerca de ti. Cuando te vayas a la cama ya no podré hacerlo.

¿Por qué, me pregunté, iba a tener yo que dormir en la cama? Quizá los niños dormían en la cama por turnos. Pensé en los chinches y me estremecí. Prefería el suelo.

El refugio era tan ruidoso de noche que parecía que, en lugar de compartirlo con una familia, lo compartía con toda la ciudad de Chicago. El viento aullaba y silbaba, la señora Clench tosía, el señor Clench roncaba, las chicas rebullían, se movían, murmuraban y resoplaban.

Cuando me dormí, al fin, estaba tan inquieta como el resto. Mis sueños fueron mitad recuerdos, mitad pesadillas. Soñé que al bajar las escaleras de la casa de Honore Street, el señor Czolgowicz, el casero, me sujetaba por el brazo y decía: "Necesitas un sitio para dormir, *kopytka*. Tengo una cama. ¿Quieres compartirla conmigo?"

En mi sueño, me fui corriendo de la casa y me encontré con una noche fría y oscura; me llegaron los deliciosos olores que salían por la puerta abierta de una taberna cercana a Canal Street, así que me paré a oler. "Guapa señorita —susurró un hombre que merodeaba por allí—, ven conmigo a casa y te haré tostadas y tortas de chocolate". Otro me asió del brazo y gritó: "¡Enrosca esas largas piernas con las mías, queridita, y te compraré cerveza!", y se convirtió en el señor Clench.

No sólo me desperté, sino que me desvelé por completo. Sabía que estaba metida en un buen lío.

Yací allí apenada y con miedo toda la noche, y no volví a conciliar el sueño.

Al día siguiente llovía. El señor Clench daba vueltas por el refugio, vigilándome y estorbando a todos. Le ignoré lo mejor que pude. Cuidé a la señora Clench y vacié su orinal. Enseñé a Myra Jane y a Sarah Dew a hacer un jarabe para la tos mezclando cebollas y azúcar, cómo me había enseñado mi mamá.

—¿Nadie os ha enseñado esto? —les pregunté.

—Papá dice que de vez en cuando atemos un trozo de carne con pimienta sobre el pecho de mamá, pero no tenemos muy a menudo carne que compartir —contestó Myra Jane—. Y, además, no tenemos que preocuparnos por eso, porque ella se va a morir y tú serás nuestra nueva mamá.

¡Menudo lío!

Traté de esconderme detrás de los niños todo lo que pude, para alejarme de Clench. Cambié el pañal de Grace, conté cuentos a Lily y a Loretta y ayudé a Myra Jane a cocinar una cazuela de judías. Big Bob se pegaba a mí como las hormigas a una comida campestre. A la menor oportunidad trepaba a mi regazo, se metía el pulgar en la boca y se quedaba dormido como un tronco. A causa de mis hermanos, siempre había tenido debilidad por los niños pequeños, por sus manitas sucias y el dulce olor de su pelo. Me sentaba largos ratos con Big Bob en el regazo y olía su cabello.

Justo antes de la cena, Clench me pescó.

—Vamos a dar un paseíto tú y yo —dijo.

Le puse mi cara repelente, pero sólo sirvió para que se riera y me pellizcara la mejilla.

—Venga, venga, no pongas cara de malas pulgas. Más vale que vayas aprendiendo a apreciarme. Vas a estar aquí mucho tiempo.

—¡Déjeme en paz! —grité—. ¡Soy demasiado joven para eso! ¡Sólo tengo doce años!

Clench se volvió a reír y me abrazó.

—¡No me toque! ¡Váyase!

Los niños estaban de pie a nuestro alrededor y parecían notablemente complacidos con el hecho de tener una nueva mamá.

¿Quién iba a ayudarme a salir de aquello? "¡Mamá! ¡Ayúdame, mamá!".

—Elgin, ¡deja en paz a esa chiquilla!

Pensé, por un momento, que mamá me había oído de verdad y bajaba del Cielo para salvarme.

—No vas a arruinar la vida de otra chica como arruinaste la mía —era la señora Clench, que se había levantado de la cama sin ayuda—. Dios, apenas es mayor que tus propias hijas. Llévala al pueblo y encuentra alguien lo bastante mayor para ti y para que sea la madre de mis hijos o juro que volveré de la tumba para torturarte.

El señor Clench se alejó de mí. Creo que, como al resto de nosotros, le había impresionado ver a la señora Clench levantada y no yaciendo en la cama como si ya estuviera muerta. Él salió y supuse que no volvería a entrar en toda la noche. Me senté en la cama, abracé a la señora Clench y le deseé buenas noches. En ese momento, Clench volvió a entrar a trompicones.

—Agarra tus cosas y sube a la carreta —me espetó—. No quiero gastar ni un sólo segundo más de los necesarios para hacer este viaje.

¿Me iba a llevar de vuelta de verdad? Miré a la señora Clench. Ella asintió.

—Vete —dijo—, y encuentra a alguien que cueza huevos de Pascua para ti.

Con la maleta en la mano, salí del refugio y subí a la carreta. Partimos. La ultima vez que vi a los niños, estaban sentados en ese pobre trozo de tierra que llamaban huerto, destripando terrones con palos, navajas y manos desnudas. Big Bob estaba llorando. Sólo Sarah Dew me dijo adiós con la mano.

Todo el camino de vuelta a Cheyenne lo pasé tensa, sentada muy recta, con la maleta en el regazo, preparada para saltar del carro y salir corriendo si el señor Clench daba muestras de querer agarrarme otra vez. No lo hizo. Ni me miró ni dijo una sola palabra. Por suerte. Empecé a mirar a los lejos, buscando en la distancia las luces de Cheyenne a través de la solitaria pradera.

Al anochecer, ya estaba de nuevo en el hotel. El recepcionista me llevó al salón donde la doctora tomaba una taza de té y el señor Szprot una cerveza, tal como los huérfanos habíamos supuesto.

—Él no quería una hija —le dije a la doctora que, en ese momento, me escudaba para protegerme de la furia del señor Szprot—. Quería una nueva esposa para cuando la otra muera.

—Seguro que te equivocas —dijo ella cuando salimos del salón y comenzamos a subir las escaleras—. Es capaz de darse cuenta de que eres demasiado joven como para ser la esposa de nadie.

La miré a los ojos sin decir nada durante un buen rato. Al fin su cara enrojeció. Quizá empezaba a creerme.

—¡El muy asqueroso! —exclamó—. Siento mucho que te hayamos metido en esto. Nunca pensé que... bueno, nunca lo pensé. No volverá a ponerle las manos encima a otro huérfano, te lo prometo.

Asentí, para que viera que la había perdonado y que confiaba en que cumpliera su promesa.

—Ahora vete a la cama con Lacey. Ya veremos que hacemos contigo mañana.

Era la primera vez que pasaba la noche en un hotel. El colchón era fino y estaba lleno de bultos, pero la habitación no traqueteaba, no había resoplidos ni ronquidos, yo no iba a ser la nueva mamá de nadie y el tamaño de los chinches era el que debía ser.

Lacey se apretó contra mí. Su sonrisa resplandecía a la luz de la luna.

—Estaba muy sola cuando te fuiste —dijo—. No me gusta estar sola.

—Parece que hay un montón de cosas que no te gustan, Lacey —contesté—. No te gusta estar sola, no te gusta tener miedo... ¿*Cómo* te gustaría estar?

Lo pensó unos segundos, con cara de profunda concentración y, ensanchando aún más su sonrisa, respondió:

—¡Llena de torta!

·8·

EL TERRITORIO DE WYOMING

Nos sentamos en la sala de espera de la estación, propinándoles patadas a nuestras maletas, mientras la doctora y el señor Szprot enviaban y recibían telegramas. De vez en cuando me rascaba las rodillas. Nadie decía nada. Los huérfanos rechazados —Sammy, Joe, Lacey, y yo— íbamos a ser devueltos a Chicago para trabajar en un taller a cambio de nuestra manutención. El señor Szprot gruñía sin cesar porque tenía que recorrer con nosotros el largo camino de vuelta. Tampoco Sammy, Joe, Lacey, ni yo nos sentíamos demasiado felices con la perspectiva. Por lo que a mí respecta, lo del taller no me sonaba nada bien; aunque, en realidad, no era peor que ser vendida a un granjero, o tener que casarme con el señor Clench. Estaba muy deprimida. ¿Es que no iba a haber un sitio para mí, seguro y un poco alegre, con una familia que quisiera una hija y tuviera comida en grandes cantidades?

Me pregunté cómo estaba el resto de nosotros, los huérfanos que habían sido acogidos. ¿Eran simplemente criados que lavaban la ropa sucia y araban los campos? ¿O era alguno feliz con su nueva familia? ¿Dormían en camas blandas y tenían mecedoras en el porche y besos al acostarse? Esperé que Nellie hubiera encontrado todo eso. Y que también lo tuvieran Chester, Spud y Mickey Dooley. Echaba de menos a Mickey Dooley. Me hubiera venido muy bien una de sus bromas en aquel momento.

Nos quedamos allí sentados, dándoles patadas a nuestras maletas, hasta que la doctora y Szprot se acercaron acompañados por un tipo grande, ancho como una puerta, que vestía mono de trabajo y botas de cuero del color de la sangre seca.

—Este caballero —dijo el señor Szprot—, está de acuerdo en llevarse a nuestro Sammy y darle un buen hogar. Adelántate, chico afortunado.

Sammy dio un salto e intentó salir corriendo, pero el tipo lo agarró y le propinó un buen pescozón en la cabeza. Sammy fue deslizándose por el suelo hasta la estufa. Todos nos pusimos en pie de un salto, pero ninguno dijo una palabra. Se produjo un silencio horrible, como si el ancho mundo estuviera esperando ver que ocurría a continuación. El señor Szprot mordió su cigarro una o dos veces, se echó hacia delante y le asestó al individuo un puñetazo en la nariz tan fuerte que pensé que el mono que llevaba iba a salir volando. El grandullón cayó al suelo cuan largo era.

—Estos chicos están a mi cargo —dijo Szprot—
y yo soy quien los golpea cuando necesitan ser
golpeados.

Después agarró al tipo por las botas y lo arrastró
fuera, sin que su cigarro se moviera un ápice. Hecho
esto se sacudió las manos, nos señaló y dijo:

—¡Sentaos!

Y podéis apostar que lo hicimos.

Szprot y la doctora volvieron a la oficina de
telégrafos donde se gritaron el uno al otro, agitando
furiosamente los brazos como si estuvieran
espantando palomas invisibles. Por último, vimos
que Szprot saludaba a la doctora tocándose el ala
del sombrero y salía del edificio.

Esperamos un buen rato. Me cansé de darle
patadas a mi maleta y me levanté para leer los carteles
pegados a las paredes:

ৡৡ

J. WHITE Y COMPAÑÍA.
Calle Prairie, 27. Fotografías 25 centavos.
NUEVOS MÉTODOS.
SIN POSES PROLONGADAS.
Esta casa tiene la mejor luz artificial del territorio.
Sólo hay que subir un tramo de escaleras.

ৡৡ   ৡৡ

☞☜

¡CONÓCETE A TI MISMO!
HEATHCLIFF M. PIDDLEMAN,
Profesor de Frenología, examinará los 37 órganos de su
cerebro y le comunicará su carácter y sus talentos.
ENTREGA UN INFORME ESCRITO
DE SU EXAMEN.
EL ÚLTIMO Y MÁS EXITOSO REMEDIO
PARA LA CONSUNCIÓN, LOS RESFRIADOS
Y LAS TOSES: COMPUESTO WILBOR DE
LIMA Y ACEITE DE HIGADO DE BACALO.

☞☜   ☞☜

☞☜

EN EL TEATRO WESTERN PALACE,
a las 8 de esta noche
la Compañía de Teatro IRVING BRIGGS
representará la nueva comedia en dos actos
¿SIRVIENTA O ESPOSA?
O
EL BURLADOR BURLADO.
Los principales personajes serán interpretados por:
el señor Briggs, el señor Loblolly, la señorita Hartley,
y la señorita Copeland. Obertura Compuesta y Dirigida
por el señor Briggs.

☞☜   ☞☜

Casi había pasado la mañana cuando la doctora volvió:

—He telegrafiado a una amiga mía de Chicago que ahora vive en Ogden, territorio de Utah —dijo— ella y su marido regentan allí un hotel. Y he recibido su respuesta. En su opinión, alguno de sus vecinos estaría dispuesto a acoger huérfanos, así que no tenéis que volver a Chicago. Seguiremos hacia Utah.

Joe, Sammy y Lacey dieron gritos de alegría, pero yo estaba demasiado preocupada por quién me querría a mí y para qué.

—Debéis portaros bien, ser agradables y no darme problemas. ¿Entendéis?

Todos asentimos.

—¿Podemos despedirnos del señor Szprot? —pregunté. Nunca me había gustado mucho el viejo Caravinagre, y estaba muy claro que yo tampoco le gustaba a él, pero había estado con nosotros desde Chicago y había dado la cara por Sammy cuando tuvo que hacerlo. Pensé que se merecía por lo menos un adiós. Pero la doctora dijo que ya estaba de camino a Chicago en busca de otro grupo de huérfanos.

—Tened —dijo tendiéndonos unos trozos de pan y unas manzanas—, comed mientras esperamos al tren.

Aunque fuera hacía mucho frío, brillaba el sol. A lo lejos, vi algo que parecían nubes de tormenta.

—¿Eso de allí es una tormenta? —le pregunté a un hombre que merodeaba por el andén.

El tipo levantó la vista donde yo le indicaba y respondió:

—Qué va, señorita, son montañas. Las Montañas Rocosas.

No podía imaginarme montañas que subieran tanto hacia el cielo, más aún incluso que los elevadores de grano de River Street, en Chicago. Pero no me sorprendió. Había visto tantas cosas raras en este viaje a través del gran país que ya casi nada me sorprendía.

—Esas nubes son las Montañas Rocosas —les dije a Sammy, a Joe y a Lacey cuando me reuní con ellos.

Sammy se había quitado la gorra. Se enjugó la frente con el pañuelo, lo extendió cuidadosamente sobre su regazo y puso en él su pan y su manzana.

—¡Cuidado! —gritó Joe demasiado tarde. Una rata que tenía casi el tamaño de un gato callejero dio un salto y agarró la gorra de Sammy. Sammy se lanzó detrás de la rata mientras todos nos reíamos con tantas ganas como para caernos del andén. La rata corría de norte a sur: Sammy corría de norte a sur; la rata corría de aquí para allá: Sammy corría de aquí para allá. Finalmente el animal dejó caer la gorra en un extremo del andén, en la nieve sucia. Mientras Sammy se agachaba para recuperarla, la rata le hizo un quiebro, se lanzó hacia el mendrugo que llevaba Sammy en el pañuelo, y salió corriendo como alma que lleva el diablo.

Vaya que sí. La rata sabía exactamente lo que quería y había discurrido cómo obtenerlo. Me di cuenta de que sentía admiración por el roedor; las cosas le tienen que ir verdaderamente mal a alguien para que sienta admiración por una rata.

Finalmente dejamos de reír, y Sammy dejó de rabiar y de echar chispas. Lacey compartió su pan con él y todos comimos.

—De verdad que esa rata ha sido más lista que el torpón de Sammy —dijo Joe—. Pero no se lo diré a nadie. Será mi secreto.

Sammy le miró con el ceño fruncido y respondió:

—Tendrías que tener más cuidado con hacer bromas sobre secretos.

Joe se puso en pie de un salto con los puños levantados.

—En mi opinión los animales pueden ser más listos que la gente —dije, deseando evitar otra pelea—. Papá me contó una cosa sobre una mula que trabajaba en los muelles del matadero. El animal sabía exactamente cuántas carretas debía llevar desde el matadero al almacén por día y, cuando había cumplido con ese número, ya fueran las doce del mediodía o las nueve de la noche, no tiraba más. Y jamás trabajaba los domingos.

Sammy asintió con la cabeza y respondió:

—Los leones de África atacan sólo a los hombres, nunca a las mujeres ni a los niños.

—Eso no es así —dijo Joe.

—Lo es.

—¿Cómo lo sabes?

—Lo sé, eso es todo.

—Los pájaros que viven en las laderas de una colina ponen huevos cuadrados para que no se alejen rodando —dije yo.

—Eso me suena a tomadura de pelo —respondió Sammy.

Levanté la vista de mi manzana y vi, en el extremo del andén, a mis primeros indios. Eran un cuadro digno de recordar para contárselo a… bueno, no tenía nadie a quién contárselo, pero componían un cuadro exótico en cualquier caso. Auténticos indios, con pantalones desteñidos, mantas y faldas de calicó; algunos con abalorios y plumas en el pelo. Seguro, pero seguro que ya no estaba en Chicago.

Poco a poco la estación se fue llenando de gente. Había hombres de pelo revuelto y botas altas, que vestían gabanes hechos con mantas de lana o lonas de carreta, rodeados de cananas de munición, que se aseaban como podían debajo de la bomba. De un sitio para otro iban también mujeres nerviosas de aspecto agotado que llevaban niños gordezuelos en los brazos. Había hombres con anteojos, mujeres que transportaban cestas de almuerzo, muchachas bonitas y bebés llorones.

—Fíjate, todos llevan pistolas —dijo Joe. Tenía razón. Daba la impresión de que todo el mundo, salvo los niños, iba armado.

—Eso es por Narizotas George —comentó Sammy.

—¿Quién es ese? —preguntó Lacey.

—¿Qué no sabes quién es Narizotas George? Pues vaya... es el ladrón de trenes más terrible del momento. Ha robado unos cuatrocientos trenes y se ha escapado todas las veces. Mató a tres hombres en Texas por mirarle la nariz. Arrojó una vieja de un tren en...

Lacey empezó a llorar.

—¡Bah, tonterías! —dije—. Es sólo un cuento de Sammy. Si Narizotas George fuera real habría visto un cartel ofreciendo una recompensa por su captura; he leído todos los carteles de las estaciones por las que hemos pasado y no había ni uno solo sobre él.

Lacey levantó la vista hacia a mí y sonrió. Sus lágrimas relucieron en su rostro como diamantes. Qué cara tenía: nadie la llamaría jamás Narizotas Lacey, ni Nariz de Patata ni ningún otro apodo horrible.

Me puse la mano en la nariz, caminé hasta el borde del andén, y me quedé contemplando los vacíos raíles que se perdían en dirección a las montañas. Detrás de mí, escuché el sonido del silbato de un tren: me volví hacia el sonido. Vi un punto negro que iba creciendo poco a poco junto con el volumen del traqueteo, que se hacía cada vez mayor hasta que, con estruendo y exhalando tanto vapor que me recordó el caluroso verano de Chicago, el tren llegó a la estación.

Nos subimos a él con todos los demás y encontramos sitio en lo que la doctora dijo que era un vagón de tercera. A mí me pareció de primera: pocos huérfanos que atender, nada de sándwiches de jalea, nada de Szprot. Sammy y Joe se sentaron juntos; yo me senté detrás de ellos con Lacey. Detrás de nosotros, la doctora se sentó junto a una señora que llevaba un abrigo rojo y un sombrero adornado con cerezas. Aunque los asientos eran de nuevo duros bancos de madera, la doctora nos proporcionó a cada uno de nosotros una almohadilla rellena de paja para sentarnos y dormir. Cada almohadilla costaba dos dólares. Pensé que los doctores e incluso las doctoras debían ganar un montonazo de dinero.

Los indios no entraron: se quedaron en las plataformas que había entre los vagones. Puede que les gustara el aire fresco y no les importara el frío helador ni el viento. Fuera cual fuera la razón, a mí me pareció muy bien no tenerlos demasiado cerca; sin embargo, como no sabía lo que pensaban hacer después, puse mi cara repelente un rato, por si acaso.

Cuando el tren arrancó, Lacey dio un salto y corrió por el pasillo como si le hubieran prendido fuego en los pies. Había visto un gordo gato gris. Lo agarró y volvió con él a nuestro asiento; allí se dedicaron a hacerse carantoñas mutuamente como si fueran patatas y salsa. El revisor que vino a picarnos los billetes dijo, guiñando un ojo, que el gato era un empleado del ferrocarril:

—Para mantener a raya a los ratones —dijo.

—¿Tiene nombre la gata? —preguntó Lacey.

—Sólo gato, supongo —respondió el revisor—. Y es un gato, no una gata.

—Bueno, pero necesita un nombre. Ro, ¿cómo le podemos llamar?

—Vamos a ver, es redondo, gordo y blando —dije—; supongo que le podemos llamar Bola de Masa.

—¿Qué es una bola de masa?

—Una bola de masa es una bola hecha de masa de pan, que después se cuece; mamá la servía con cerdo asado y col agria —contesté—. Una bola de masa es lo mejor del mundo.

—Entonces se llama Bola de Masa —confirmó Lacey.

Paseé mi vista por el vagón contemplando toda la gente que iba hacia el oeste. O incluso más al oeste aún, ya que me parecía que ya nos encontrábamos en el oeste aquí en el territorio de Wyoming. ¿Qué es lo que buscaban? ¿Y por qué creían que estaba allí?

Me volví para preguntarle a la doctora, pero tenía los ojos cerrados. La señora que se sentaba junto a ella era más bien joven y rellenita. Tenía una cara tan redonda y sonrosada como un plato de porcelana con flores pintadas, y tan risueña que supuse que sonreía incluso dormida. Estaba sola, pero parecía demasiado feliz para ser huérfana.

—¿Viene usted desde Chicago como nosotros? —le pregunté.

Negó con la cabeza, lo que hizo balancearse las cerezas de su sombrero. Luego añadió:

—Desde Omaha. Soy una novia por correspondencia —dijo soltando una gran carcajada ronca.

—¿Qué es eso? ¿Se puede pedir una novia a una tienda que venda artículos por catálogo tal como se hace con los pianos y las cacerolas?

Mi interlocutora se rió de nuevo y dijo que era casi tan fácil como eso:

—Respondí a un anuncio del Herald de Omaha que había puesto un colono de un sitio llamado Wasatch, en el territorio de Utah, y que buscaba esposa. Nos escribimos unas cuantas cartas... y aquí estoy, camino del oeste —sonrió y, al hacerlo, sus ojos quedaron casi ocultos por los rosáceos pliegues de su rostro.

—Vi un anuncio parecido en la estación de ferrocarril de Grand Island. Un hombre de Montana quería una esposa. ¿Pero no le preocupa casarse con un extraño? —pregunté—. ¿No le importó dejar su casa y su familia y todo eso?

—No tengo familia —respondió—. Y mi casa era una habitación de pensión con moho en el papel de las paredes y peste a col en los pasillos. No quería pasar el resto de mi vida en esa habitación o con los brazos metidos hasta los codos en agua sucia lavando ropa blanca para señoronas ricas que no están dispuestas a hacerlo ellas mismas. Así que, cuando vi ese anuncio, fue como si Dios me dijera: "Merlene, deja esos cubos, sécate las manos y vente a mi país donde el aire es limpio, el cielo alto y azul, y donde la ropa sucia que laves será la tuya".

—¿Y él?

—¿Quién?

—Él —repetí—. Ya sabe. El hombre que puso el anuncio.

—Oh, *él*. Se llama Enoch Thompson. Parece amable y está solo. No es que sea ya demasiado joven, pero yo tampoco lo soy. Supongo que nos llevaremos bien. Me llevo bien con casi todo el mundo.

—¿Y si no quiere casarse con usted? ¿Y si quiere a alguien más bajo o más alto o mayor? —lo único que yo quería era entender ese asunto de las novias por correspondencia.

Ella contestó con un bufido:

—Los hombres del campo se casan con cualquier cosa que se baje del tren.

—Pero, ¿y si es usted la que no quiere casarse con *él*? ¿Y si es malo? ¿O feo? ¿O un delincuente que se oculta de la ley?

—Mira, niña, a veces tienes que confiar, esperar, y no decir "y si..." todo el tiempo. Además, si no nos convenimos el uno al otro, no me quedaré. Tengo capital: mis manos, mis pies y una espalda fuerte. Y al menos habré dejado aquella pensión de Omaha.

La señorita Merlene cerró los ojos. Mientras la contemplaba, le daba vueltas a ese marido por correspondencia que se había buscado. ¿Sería alto, apuesto y con bigote recortado? ¿Tendría un caballo y una calesa como el héroe de un cuento? ¿Podía averiguarse todo esto por adelantado de modo que no hubiera que apechugar con un señor Clench? ¿O había que esperar, confiar y no decir "y si..." todo el tiempo, tal como la señorita Merlene creía?

Aunque sus ojos continuaban cerrados yo le pregunté:

—¿No le importa que sea todo tan raro y tan desconocido? La gente lleva armas, y vive en refugios subterráneos, y hay indios por todas partes.

—Me gusta lo raro y lo desconocido —respondió ella abriendo los ojos un poquito—. No es lo de siempre. Y en cuanto a los indios, pobrecitos míos, no se les permite entrar en los vagones, pero les dejan ir gratis en las plataformas. Está en el tratado: nosotros nos quedamos con sus tierras y ellos se quedan con las plataformas de los vagones del ferrocarril.

Sacudió la cabeza y añadió:

—Nosotros los blancos les hemos robado pura y simplemente, supongo.

La señorita Merlene cerró los ojos de nuevo y volvió a su siesta; yo volví la cabeza al territorio de Wyoming que corría por la ventanilla.

Lacey y el gato se acurrucaron junto a mí.

—Bola de Masa y yo necesitamos un apellido —dijo—. Tú tienes apellido como lo tiene Mickey Dooley. Supongo que Sammy, Spud y Joe tienen apellidos. Todo el mundo salvo nosotros tiene apellidos. ¿Cuál podría ser nuestro apellido, Ro?

—Venga, escoge uno. Uno cualquiera. Como el del anuncio ese de ahí —dije mientras dejábamos atrás un establo con un cartel pintado.

—No sé leer.

Suspirando se lo leí en alto:

—"Granos y abonos Connery".

—Abonos —dijo Lacey—. Es bonito.

Suspiré de nuevo y respondí:

—Sí, lo es, pero me da la impresión de que Connery va mejor con Lacey.

Así que desde ese momento fue Lacey Connery, y el gato Bola de Masa Connery, y los dos se quedaron allí sentados ronroneando.

Mientras el tren subía y tomaba curvas, empezó a nevar. En ciertos lugares avanzábamos tan despacio que parecía que estuvieran poniendo los raíles delante del tren, tan despacio que, lo que sólo habían sido manchas hasta entonces, se convirtieron en arbustos, matorrales, y retorcidos pinos que surgían de la nieve.

Después de un rato nos detuvimos en Sherman y bajamos a estirar las piernas. El sol brillaba en el cielo, pero el aire era todavía cortante y olía a tierra helada. El revisor nos señaló las vistas que, por cierto, no eran gran cosa. Sherman era un lugar de aspecto mustio y tristón, tan sólo un poblado con una docena de casas, un pequeño hotel de ladrillo y un *saloon*, construido entre colinas bajas y rocas rojizas cubiertas de nieve. Una fuerte ráfaga de viento me golpeó en la cara mientras leía en alto un indicador de madera:

—"Está usted a 8.235 pies por encima del nivel del mar".

—Así es, estamos en el punto más alto de la ruta —dijo el revisor señalando al indicador—. Desde aquí bajaremos a la velocidad de un rayo que cruza un zarzal.

Lacey dio unas cuantas patadas en el suelo y escondió la cara en la polvorienta piel de Bola de Masa.

—¿Qué pasa? —le pregunté.

—Éste de aquí es el pico más alto y sigue siendo tierra. Pues vaya, yo pensé que iba atravesar directamente las nubes para llegar al cielo.

—No es tan alto, Lacey —respondí. Ya me hubiera gustado a mí que lo fuera. Papá estaba en el Cielo. "Bienvenida al Cielo —hubiera dicho—. Es un sitio la mar de bonito. Me recuerda Polonia. Mamá también está aquí, cocinando ganso asado y bolas de masa para ti y para Dios".

Dimos una vueltecita por Sherman respirando el aire gélido que nos quemaba la nariz y nos humedecía los ojos. Vimos un risco donde había grabados nombres de personas. Si Hermy Navaja hubiera estado aún con nosotros, le hubiera pedido su cuchillo y hubiera añadido mi nombre: *Rodzina Clara Jadwiga Anastazya Brodski, huérfana que se dirige al oeste, Abril 1881.* Y ahí se habría quedado para siempre jamás. Estuve un rato allí, de pie, en la punta más elevada de la línea del ferrocarril, mirando al este y al oeste, diciendo hola y adiós. Sin lugar a dudas, el oeste era distinto de Chicago y yo no sabía si iba a convenirme.

Ya había vuelto a mi asiento cuando la doctora subió al tren seguida de Lacey, Joe, Sammy y los otros pasajeros. Parecía fuera de sitio con su traje de chaqueta negro entre chaquetones hechos con mantas de caballo y vestidos de guinga. Además, su traje ya no tenía en absoluto buen aspecto: estaba empolvado, y manchado de jalea roja y de algo que parecía jugo de tabaco. Me sorprendió que no se hubiera puesto ropa limpia.

Tenía el rostro tan pálido y con una expresión tan infeliz que me encontré sintiendo cosas raras. Compasión. Me daba pena la doctora. Y desde luego tenías que estar francamente mal para admirar a una rata y compadecerte de la doctora.

Se sentó en el asiento que quedaba detrás de mí, así que me volví y le dije:

—¿Señorita doctora?

Ella apartó la vista de la ventanilla y volvió hacia mí sus ojos, que parecían más tristes que hostiles.

—¿Señorita Brodski?

—Joe dijo que el señor Szprot había dicho que iba usted a California. ¿Es verdad?

—Es verdad.

—Pues bien, lo que quiero saber es ¿por qué? No parece usted la clase de persona que quiera ir al oeste. ¿No es usted lo bastante buena doctora para Chicago?

Al oír aquello su mirada adquirió una expresión desafiante y respondió:

—Soy una buena doctora, con una formación y una capacidad excelentes.

—¿Entonces por qué?

—Porque a la gente de Chicago no parecen gustarles las mujeres médico, y los planes y los sueños no dan de comer.

Volvió entonces de nuevo la vista a la ventanilla y añadió:

—Espero que sea distinto en un estado nuevo como California.

—¿Señorita doctora?

Ella respondió sólo haciendo un pequeño movimiento de impaciencia con una mano, así que la dejé en paz.

Después de Sherman nos limitamos a descender a buena velocidad hasta llanuras interminables y después, cuando dejamos atrás las chimeneas y las cercas de Laramie, empezamos a trepar de nuevo por colinas desérticas. El suelo era rojo y la tierra yerma, salpicada con árboles muertos, carcasas de buey y carretas abandonadas. Vimos un astroso cartel hecho a mano donde se leía: "Ciudad de Nueva York: un millón de millas".

Sabía exactamente cómo se sentía el que lo había escrito.

Aquí y allá se veían cabañas de colonos solitarios, que me hicieron acordarme de los Clench y de cómo me escapé por los pelos. Fuimos deteniéndonos en estaciones con nombres tan tristes como Arroyo Amargo y Punto Rocoso. La gente bajaba y subía, aunque no podía imaginarme a dónde iban o de dónde venían. Se bajaron también los indios que iban en la plataforma delantera de nuestro vagón, y yo dejé escapar un suspiro de alivio.

En la parada para cenar, entramos a una de esas cantinas que había admirado desde fuera durante tanto tiempo. Por tres dólares nos dieron a los cinco sopa de carne, torta, batatas, pepinillos, pasas, pan y café. El café me trajo a la memoria el olor de papá los domingos: un poco de café, una pizca de tónico para los cabellos y la limpia fragancia de una camisa almidonada, tan diferente de su acre y sudoroso olor de diario.

El paisaje fue cambiando mientras subíamos otra vez: había rocas tan grandes como casas, y árboles de hoja perenne que tenían aspecto casi humano; el viento hacía oscilar sus ramas hacia nosotros como si fueran manos. Nevó, rugió el viento, y el tren traqueteó y siguió viaje hacia el oeste.

.9.

A MIL MILLAS DE OMAHA

La estación de Wasatch fue nuestra primera parada en el territorio de Utah. La señorita Merlene fue la única pasajera que se bajó del tren. Un hombre que estaba apoyado sobre la pared de la *Cantina Qué Alegría* se dirigió hacia ella y se tocó el sombrero. Limpié como pude el vaho de la ventanilla y pegué la nariz al cristal, para ver lo mejor posible a su marido por catálogo. No era lo que me había imaginado, nada de príncipe de cuento de hadas, sino más bien un tipo delgaducho y una pizca más bajo que ella, con muchas y revueltas canas en la barba. Las mangas de su chaquetón no le cubrían las muñecas, y sus pantalones eran tan cortos que dejaban ver unos calcetines flácidos enrollados alrededor de sus huesudas canillas. Le llevaba un ramo de hierbas o salvias o lo que fuera; eran las flores más feas que había visto en mi vida. Pero la arrebatada forma en que miró a su novia y cómo la tomó del brazo hizo que mi corazón palpitara más deprisa. Era como si la señorita Merlene fuera un tesoro hecho de cristal o de azúcar glas y él, el tipo afortunado que la había ganado en la feria. Si me hubieran pedido mi opinión, hubiera dicho que les iba a ir estupendamente. Afortunada señorita Merlene. La saludé con la mano, pero ella no separó los ojos de él ni un momento y no me vio. Mientras se alejaban, las cerezas de su sombrero se agitaron alegremente.

—Cañón del Eco —dijo el revisor un rato después, caminando entre las filas de asientos—. Estamos entrando en el cañón del Eco.

Riscos enormes, tan rojos como la bandera polaca, se alzaban a ambos lados de los raíles. Si se miraban de reojo, parecían casi las mansiones de ladrillos de los ricos de Prairie Avenue.

—¿Qué significa la palabra cañón? —lo pregunté porque nunca antes la había oído.

—Es una palabra española, señorita. Significa un barranco profundo o un valle estrecho, como éste de aquí que atravesamos.

Una palabra española. Qué lejos de Chicago estaba, aquí en un sitio dónde decían cosas en español. Miré sin ver por la ventanilla: estaba volviendo la vista atrás, rememorando a la inversa los lugares por los que habíamos pasado, para recordar de donde venía. Aquella chica era yo, la chica de la habitación de Honore Street. ¿Quién era yo aquí? ¿Era alguien? ¿Y en qué se iba a convertir lo que quiera que fuese?

Todavía estaba triste y meditabunda cuando nos detuvimos en el Árbol de las Mil Millas; esa parada significaba que nos habíamos alejado mil millas de Omaha. Mil millas. Un millar parecía una cantidad espantosamente grande de lo que fuera: un millar de patatas, un millar de salchichas, un millar de naranjas, o de bidones de aceite, o de huérfanos. Todos nos bajamos y nos pusimos a contemplar un viejo pino que se alzaba a la orilla de un arroyo. Aunque era mediodía, hacía frío y el viento cortaba la cara. Me envolví lo mejor que pude en mi chaquetón demasiado pequeño. Pero por lo menos yo tenía chaquetón. Joe y Sammy sólo llevaban camisa, jersey y calzones; daban patadas en el suelo y se golpeaban los brazos para no helarse.

La gente se llevaba ramitas y piedras (para recordar el sitio, supongo), y unos cuantos manipulaban esas cosas que parecían cajas negras, las cámaras, que se suponía que hacían retratos; pero no creo que hubiera mucho que valiera la pena recordar, sólo aquel viejo pino, los riscos y el silencio. Me quedé allí de pie un momento, pensando en la soledad. "Qué silencioso y solitario debe ser esto —pensé—, cuando el tren parta y los únicos sonidos sean los del viento y el agua". Me pregunté cómo se sentiría aquel viejo árbol cuando los trenes se marcharan. ¿Se sentiría feliz de estar solo de nuevo? ¿Se vendría abajo por la soledad, recordando los que se habían ido, soñando despierto con los que quedaban por venir?

Subimos de nuevo al tren. La doctora se sentó sola, detrás de Lacey y de mí. Comenzó, como de costumbre, a suspirar y a murmurar mirándose la falda.

—Señorita doctora —le pregunté volviéndome— ¿por qué no se pone otra falda en lugar de quejarse de ésa?

Ella resopló suavemente por la nariz y respondió:

—Me pondría otra falda si la tuviera, pero no tengo más que ésta.

¿Una única falda? No era de extrañar entonces que la hubiera cuidado tanto.

—Creí que los doctores eran ricos —dije.

—Quizá algunos. Pero yo soy una doctora sin pacientes y sin esperanzas; disto mucho de ser rica.

—Señorita doctora, si no puede hacerse rica, ¿por qué es usted doctora? No hay muchas mujeres médicos por ahí.

—Mi padre era farmacéutico —respondió ella—. Solía dejarme que le ayudara en el laboratorio, y me enseñaba cosas. Cuando murió, mi mundo se redujo al de mi madre: lecciones de música, pintura de porcelana y visitas de otras mujeres que no tenían nada que hacer. Quería más.

Sacó un pañuelo de su manga y se sonó la nariz.

—Quería saber... *cosas*. Así que estudié medicina. Ahora quiero *utilizar* lo que sé.

—¿No quiere usted casarse y tener hijos? La señora Bergman, que vivía debajo de nosotros en

Honore Street, solía decir que las mujeres necesitan...

—Lo que las mujeres necesitan es más ejercicio, faldas más cortas, y salirse con la suya de vez en cuando —respondió la doctora cerrando los ojos.

El tren perdió velocidad repentinamente. Los raíles discurrían por el borde mismo de un acantilado: a la derecha se alzaban murallas de piedras de decenas de metros y a la izquierda, muy abajo, pasaba un río torrencial, que salpicaba y se arremolinaba sobre las rocas.

Joe y Sammy apretaron las caras contra los cristales y gritaron encantados:

—¡Nos vamos a caer! ¡Nos vamos a caer! —y después—: ¡Nos vamos para abajo! ¡Fijaos en la curva de ahí delante! ¡Nunca lo conseguiremos! ¡Nos vamos para abajo, segurito!

La doctora mantuvo los ojos cerrados; Lacey y yo miramos nuestras faldas.

—¡Qué miedo! —dijo Joe señalando las ventanillas.

Levanté la vista: las grandes rocas parecían torretas y chapiteles de castillos en ruinas, en las que podían vivir perversas brujas, o monstruos de un ojo, o fantasmas.

—Sí, qué miedo —asentí.

—Contémonos historias de miedo —dijo Sammy. Se levantó, y se puso a tambalearse por el pasillo diciendo:

—¿Dónde está mi cabeza? ¡Buuuu! ¿Dónde está mi cabeza?

—No seas idiota —dijo Joe, pegándole una patada en la espinilla.

—¡No le des patadas a tu hermano! —exclamé.

—Joe no es mi hermano —dijo Sammy devolviéndole la patada.

Los sujeté como pude y me los llevé al asiento con Lacey y conmigo mientras los demás viajeros se quejaban del barullo que montábamos y nos amenazaban con tirarnos por la ventanilla.

—Ro, cuéntanos una —pidió Lacey; negué con la cabeza y respondí:

—No me sé ninguna historia de miedo. A mamá no le gustaban. Prefería las historias alegres.

—Invéntatela, entonces.

—Bueno, podría intentarlo, supongo. De acuerdo... Érase una vez un muchachito que...

—¿Cómo se llamaba? —preguntó Lacey.

—Frank. Digamos que se llamaba Frank. Él...

—¿Cuántos años tenía?

—¡Vaya por Dios, Lacey! Eso da igual.

Lacey se puso de morros y cruzó los brazos.

—Diez, ¿de acuerdo? Digamos que tenía diez años.

Lacey asintió y yo proseguí:

—Una noche, una noche de tormenta, con un viento muy fuerte con los relámpagos centelleando, los truenos retumbando y el viento resoplando...

Lacey soltó un chillido y se tapó la cabeza con la falda. Bien, ahora quizá me dejara continuar la historia; era divertido esto, lo de inventarse historias:

—… los truenos sonaban como nunca, y sus papás le llamaron para que bajara de su dormitorio en el ático. "Frank", dijeron, "debemos salir un rato. Hay fantasmas y cosas terroríficas esta noche, así que lo mejor que puedes hacer es quedarte en tu habitación y mantener la puerta bien cerradita".

—Frank suplicó que le dejaran ir con ellos, pero su papá contestó: "No, nada de eso, debes quedarte aquí", así que Frank cerró la puerta, subió hasta su cuarto del ático, repleto de polvo y telarañas, y se sentó en la cama, todo tembloroso de miedo.

—¿Tenía que dormir solo en su habitación? —preguntó Sammy—. No me extraña que tuviera miedo.

—¡Calla, pelmazo! —dije yo—. De repente oyó unos ruidos que venían de la planta baja, algo así como *uuu-iiís*.

—¿Que son los *uuu-iiís*? —preguntó Joe.

—Pues ya sabes, cuando oyes cosas como *uuus* y como *iiís* y sonidos parecidos. La cara de Frank se puso pálida como una chuleta de cerdo. Los gemidos se hicieron más y más fuertes.

—"¡¡Fraaaaaaank!! —gimió la cosa horrible—. ¿Dónde está Fraaank?"

—Frank podía oír la cosa que andaba en el piso de abajo: *kafud, kafud*. Y entonces los *kafuds* aquellos se hicieron más y más fuertes. La cosa subía ya por las escaleras...

—Espera un segundo —dijo Joe—. Acabo de acordarme: la puerta de la casa estaba cerrada. ¿Cómo entró?

—¡Tontaina! —exclamó Sammy—. Las cosas horribles no se detienen porque haya puertas cerradas. Sigue, Ro.

—La cosa subía las escaleras haciendo más *uuu-iiís* y diciendo "¿Dónde está Fraaank?" Los *kafud*, *kafud* se oían cada vez más fuerte, hasta que la puerta se abrió de golpe y allí estaba...

Miré desesperada a mí alrededor buscando inspiración; me había metido tanto en mi propia historia que no había pensado *qué* subía por las escaleras.

—... y entonces Frank se encontró con una estufa que se tambaleaba *kafud*, *kafud*, que se acercaba más y más...

—¿Una *estufa*? —preguntó Joe—. ¿Eso es lo que daba tanto miedo? ¿Una *estufa* que subía a trancas y barrancas por las escaleras?

—Mejor te quedas con las patatas y te olvidas de las historias —me dijo Sammy.

Los chicos se rieron tan fuerte que se cayeron del asiento y se pusieron a hacer el ganso por el pasillo del tren, hasta que la doctora los agarró por la oreja y los sentó junto a ella.

—Ha sido un cuento muy soso para los chicos,

Rodzina —dijo Lacey—. Ni siquiera *a mí* me ha dado miedo. *Ni yo* tengo miedo de una *estufa*.

Pues mira qué bien: yo aquí, cuidando de ellos como se me había ordenado, y ellos me lo agradecían quejándose. Primero me pedían que les contara una historia y luego refunfuñaban porque no les gustaba. Hubiera sido lógico pensar que si los huérfanos estábamos metidos en el mismo barco, lo menos que podíamos hacer es ser amables los unos con los otros, pero no, ellos no sabían qué era eso. No se daban cuenta de lo que podían herir los sentimientos de una.

Bueno, daba igual. Ya estaba harta de ocuparme de ellos. Que se contaran ellos sus propias historias, que se contestaran ellos sus bobas preguntas, que se lavaran ellos sus pegajosas caras.

Me levanté. Lo de las caras pegajosas me había recordado algo: tenía que lavarme la mía antes de llegar a Odgen. El agua del cubo tenía una capa de hielo por encima. "Ya me lavaré luego —pensé—. En julio, por ejemplo". Me arreglé el pelo, me estiré el vestido y me volví a mi sitio. A lo mejor en el territorio de Utah había cosas tales como agua caliente y jabón. Desde que salimos del orfanato no me había lavado más que la cara y las manos, así que estaba empezando a oler un poco como a queso rancio.

Nos detuvimos en la estación. "Otra vez lo mismo", pensé. Me sentí como un jamón en la carnicería: rosa, jugoso... esperando a que me compraran.

Hacía un frío terrible y estaba nevando. La doctora nos hizo cargar con las maletas y nos condujo hacia la salida.

—Bueno, vamos a ver, señorita —le dijo el revisor a Lacey mientras ella cargaba con Bola de Masa como si fuera parte de su equipaje—. No podemos dejar que te lleves al gato —el revisor empezó a quitárselo de los brazos.

—¡No! ¡Devuélvamelo! —Lacey trató de abrazarlo con más fuerza, pero el revisor acabó por hacerse con él.

—Lo necesitamos, señorita —dijo—. Vamos..., es que, sin él, las ratas nos devorarían en un segundo.

Lacey se volvió hacia mí, la cara roja y fruncida como uva pasa.

—Por favor, Ro, Bola de Masa quiere venir conmigo. Dile al hombre que me dé a mi gato.

—Díselo tú —contesté ignorando su carita triste y sus ojos llenos de lágrimas—. Tengo cosas más importantes en qué pensar.

No sólo es que estuviera molesta con ella por compincharse con Joe y Sammy, es que, otra vez, tenía que enfrentarme a la esclavitud. Le di la espalda mientras la doctora la tomaba por el brazo y la separaba del gato y del revisor.

La estación estaba solitaria y silenciosa. Nada más bajar al andén, una ráfaga de viento gélido estuvo a punto de llevarnos de vuelta a Wyoming. Hacía tanto frío me dolían los dientes. La nevada era cegadora, la nieve cortante y dura; en un momento, me cubrió la cara con un manto de hielo que tuve que quitarme con saliva para poder respirar.

Dos personas, tan envueltas como regalos de navidad, llegaron corriendo. La doctora estrechó sus manos y se volvió a decirnos:

—Ésta es mi antigua compañera de instituto, la señora Rutherford Tuttle, y éste es su esposo.

Estrechamos sus manos y nos quedamos allí de pie, saludándonos, hasta que creí que aquel andén de Odgen, territorio de Utah, sería testigo de nuestra transformación en carámbanos.

Por fin, el señor Tuttle dijo:

—Hace demasiado frío como para hablar aquí. Vamos a...

De repente, se oyó un grito:

—¡Cómo lo digas te mato, asqueroso, imbécil, desgraciado! —era Joe.

Sammy saltó sobre su espalda y gritó a su vez:

—¿Ah, sí? ¡Pues te la vas a cargar, toma, y toma, y toma, te la vas a cargar!

Después, se oyó un ruido tremendo: Joe y Sammy habían roto la verja de hierro y habían caído sobre el helado suelo situado seis pies más abajo.

La doctora y los Tuttle corrieron hacia ellos, cloqueando y alborotando como si fueran gallinas de corral.

—¡Están bien! —chilló la doctora—. ¡Están magullados pero no se han roto nada!

Pensé que qué pena: si se hubieran roto algo no hubieran tenido más remedio que parar quietos una temporada.

Reuní nuestras maletas y entré en la sala de espera; allí estaban la doctora, los Tuttle, Joe y Sammy. Pataleé con fuerza, rompí el hielo de mi cara y respiré el aire cálido mientras la doctora examinaba a los chicos con más detenimiento.

—Necesitaremos sal de amoniaco y tintura de árnica para estas heridas. Lo que me extraña es que os no hayáis hecho más daño después de esa caída... —se detuvo y miró a su alrededor—. ¿Dónde está Lacey?

Por ninguna parte. Lacey no estaba por ninguna parte. Buscamos por la sala de espera y por el andén, pero allí no estaba. El señor Tuttle detuvo el tren que estaba a punto de salir de la estación; mientras su esposa, Joe, Sammy y yo esperábamos, él y la doctora ayudaron al revisor a mirar en todos y cada uno de los vagones. No había ni rastro de Lacey.

¿Se habría marchado por su cuenta? Subimos al carro de los Tuttle y nos encaminamos hacia el pueblo. No vimos a nadie; empezó a nevar con más fuerza.

.10.

ODGEN, TERRITORIO DE UTAH

El Hotel Tuttle era un enorme caserón lleno de corrientes de aire. El salón, calentado por una gran chimenea de piedra, estaba abarrotado de sillas y de mullidos sofás, pero, por suerte, no había cabezas de animales. A través de una arcada se veía un gran escritorio de madera y la pequeña barra, también de madera, de un bar; al otro lado, estaba la escalera que conducía a las habitaciones. No me impresionó demasiado porque ya no era la primera vez que entraba en un hotel.

El señor y la señora Tuttle se "desempaquetaron"; eran altos y de aspecto agradable. Ella llevaba un sombrero de plumas sobre su peinado de copete al estilo pompadour. Él tenía un abundante y crespo cabello castaño, y la suficiente bondad como para darse cuenta de lo preocupada que estaba por Lacey. Tomándome del brazo, se apresuró a decirme:

—No te preocupes. Va a venir Earl el Grande a organizar la búsqueda. Conoce esta tierra tan bien como yo la cara de mi querida Kathleen.

¿Earl el Grande? Resultó que era el sheriff: una montaña (tipo Montañas Rocosas) de hombre con nariz respingona y manchas de tabaco sobre el bigote rubio.

—Bien, veamos —dijo; dio algunas vueltas por la habitación, se sentó y se rascó su generosa barriga—. Bien, veamos. Hay que reflexionar.

Hizo una gran pausa durante la cual se dedicó a toquetearse el bigote. ¡Repámpanos! ¿Es que el sheriff éste no se iba a poner nunca en *movimiento*?

—Bien —repitió—, hay fuera hace un frío de mil demonios. Digo yo que habrá buscado refugio en alguna parte. Es de sentido común.

—La pobre Lacey no tiene sentido común —dijo Sammy secándose los llorosos ojos y la húmeda nariz con la manga—. Es tonta de remate.

Di un respingo.

—¡No lo es! —protesté—. Sólo es diferente. Una chispita lenta.

—Eso no importa —dijo el sheriff—. Eso no quiere decir que no tenga sentido común. Hasta una oca tiene sentido común, y seguro que las ocas son con mucho más lentas que cualquier niña —hizo otra larga pausa durante la cual se rascó el pecho y chasqueó sus tirantes—. Bien, voy por Angus; buscaremos hacia el oeste, hacia la casa de Merton. Tuttle, encuentra a Buster y dirigíos al sur; por allí hay algunas granjas. Los chicos —prosiguió señalando a Joe y Sammy— que se queden aquí y hagan lo que les diga la señora Tuttle. Y tú —me dijo a mí— mantén el fuego bien alimentado. Lo vamos a necesitar a la vuelta.

Cuando los hombres se fueron, el sheriff palmeó el hombro de la doctora con una mano tan grande como la zarpa de un oso.

—No se preocupe, señorita. Quédese aquí y tranquilícese. Yo encontraré a esa pequeña... Tengo que hacerlo... o la Jefa me despellejará vivo.

—¿Pero no es *él* el jefe? —pregunté a la señora Tuttle.

Ella sonrió.

—Llama Jefa a su madre, porque ella es aún más grande que él.

¿Más grande que Earl el Grande? Se me desorbitaron los ojos. Con gusto hubiera dado cien dólares, si hubiera tenido cien dólares, para *verla*.

Durante toda la tarde, la doctora y yo estuvimos sentadas, contemplando la nevada; yo a la izquierda de la chimenea, junto a la ventana, ella a la derecha. Cada vez que se abría la puerta, yo saltaba del asiento, pero lo único que entró fue el viento y unos cuantos desconocidos. No había señales del sheriff ni de Lacey.

Después de muchísimas horas, la doctora se me acercó y me puso la mano en el hombro: yo me retiré. Se fue sin decir nada para regresar poco después.

—Háblame. Yo también estoy preocupada por Lacey y creo que podríamos consolarnos mutuamente.

—¡No quiero su consuelo! —contesté—. Lo único que quiero es que me deje en paz.

De repente, todo el resentimiento acumulado durante semanas salió a la superficie como las aguas residuales del arroyo Bubbly cercano a Honore Street.

—¡¿Cómo ha podido?! —grité—. ¡¿Cómo ha podido dejar que Lacey se perdiera?! ¡¡Tenía que cuidarnos, pero usted sólo se preocupa por usted, por sus libros y por su falda vieja y estúpida!! —me detuve para tomar aire y para secarme los ojos con los puños—. ¡No le importamos lo más mínimo, y ahora Lacey se ha perdido, y la culpa la tiene usted!

Me encaré con ella.

—Lo hago lo mejor que puedo —contestó; su fría voz era sorprendentemente débil—. Soy doctora, no niñera. Pero lo hago lo mejor que puedo.

Se le empañaron las lentes, así que dejé de verle los ojos. Intentó una especie de entrecortado saludo con la mano y volvió a sentarse a la derecha de la chimenea.

—¡Pues su "lo mejor que puedo" no es suficiente! —continué, aunque gritando menos—. De hecho, su "lo mejor que puedo" es... asqueroso.

Alimenté el fuego hasta que el calor pareció el del mismísimo infierno. No he querido maldecir; sólo digo que en el infierno no debía hacer tanto calor como en aquel salón, pero alimentando el fuego tenía algo que hacer, aparte de ponerme histérica.

Un rato después, empecé a arrepentirme de lo que le había dicho a la doctora; empecé a pensar que la desaparición de Lacey no había sido culpa suya. Mucho me temía que había pasado por mi culpa.

¿Se habría marchado porque me desentendí de ella? ¿Se habría ido a llorar a alguna parte a causa de mi indiferencia y se habría perdido? ¿Habría robado a Bola de Masa porque no la ayudé a encontrar otro modo de conseguirlo? Sentía en el alma lo cruel que había sido con ella. No me había comportado como una amiga, había sido fría y distante, encerrada en mí misma: una especie de señorita doctora... No quería pensar en *eso*. Eché al fuego un leño tan grande como para alimentar una locomotora.

Cada día de los tres días siguientes, el ululante viento golpeó las puertas y retembló en las ventanas como si quisiera colarse y calentarse él también junto al fuego. Cada noche de las tres noches siguientes, los buscadores volvieron sacudiendo la cabeza.

La doctora y yo no nos hablábamos. Ella se sentaba con un libro en el regazo pero no leía. Yo estaba cada vez más nerviosa; lo único que hacía era estar sentada allí, darle vueltas al asunto y alimentar el fuego de vez en cuando, así que me levanté y me dediqué a subir y bajar los dos tramos de escaleras del hotel: arriba y abajo, arriba y abajo, arriba y abajo... Al cabo de un rato, la señora Tuttle dijo:

—Vamos a ver, usa un poco de esas energías machacando nabos y poniendo la mesa.

Eso hice, pero sin dejar de darle vueltas al asunto. La señora Tuttle había preparado sopa y estofado de búfalo. La doctora se limitó a picar un poquito, pero yo no: yo, cuanto más preocupada estaba, más hambre tenía. Una noche soñé con col y, como todo el mundo sabe, eso significa malas noticias. Por fin, en la tarde del cuarto día, Earl el Grande, seguido por un montón de buscadores de narices rojas y cabello helado, entró con un pequeño bulto en los brazos: Lacey. La dejó sobre el sofá y permaneció de pie a su lado. La doctora corrió hacia ella, pero yo me quedé donde estaba. Había un silencio de muerte. Muerte. No. No podría soportar la muerte de otra persona. Me temblaban muchísimo las manos.

—Encontró un establo; lo hizo —dijo el sheriff.— Allí estaba, con este gato. Ya sabía yo que tendría el suficiente sentido común como para encontrar un refugio —por cómo hablaba, no parecía estar a punto de decirnos que Lacey había muerto. Me levanté—. Estaba sobre el heno, junto a una vaca y su ternero. Más linda que una carretita roja sobre un campo de trigo.

Le acarició la frente y ella dijo a voces, delirando:

—¡Mete la leche en la picadora, Ro! ¡Anochece!

—Está viva —dijo el sheriff—, de momento.

Todo el mundo exhaló un suspiro de alivio y se congregó alrededor del sofá, dando instrucciones a voces.

—¡Envolvedla en hielo para que no se descongele demasiado rápido!

—¡Frotadla con fuerza con una toalla bien áspera!

—¡Whisky! Necesita un trago de whisky y yo... ¡otro!

—¡NO! —gritó la doctora—. Retírense. No la froten. Aún puede tener algo congelado. De hielo nada; ya tiene bastante frío con el que tiene. ¡Y nada de whisky, aunque a ustedes no les vendría mal un poco!

La señora Tuttle colocó un bultito sobre el suelo, frente a la chimenea. Era Bola de Masa, tembloroso y medio helado, pero vivo. Miró hacia arriba, soltó un débil *miau* y empezó a lamerse la cola. Al parecer, Bola de Masa estaba bien. Lacey, sin embargo, balbuceaba y no dejaba de temblar.

—Traigan una tina y llénenla con agua tibia —ordenó la doctora.

La señora Tuttle y yo lo hicimos mientras la doctora le quitaba la ropa. La metimos en la tina y allí sus blancas manos y su demacrada carita fueron recuperando poco a poco el color. Pero seguía temblando y balbuciendo.

Finalmente, la sacamos de la tina y la envolvimos en todas las mantas que pudimos encontrar. La doctora se sentó junto al fuego con Lacey en el regazo y se quedó allí el resto del día, cantándole muy bajito. A pesar de su frialdad, la doctora tenía algo noble. Probablemente *estuviera* haciendo las cosas lo mejor que podía, como ella misma había dicho.

Las contemplé a las dos, alimenté el fuego y dibujé árboles y gatos con el dedo sobre el cristal empañado de la ventana.

A la hora de la cena, la señora Tuttle entró y le puso a la doctora la mano en el hombro.

—Vete a comer un poco, querida —dijo—. Yo cuidaré a la pequeña.

La doctora se negó.

—No, no puedo dejarla. Ahora no.

—Pero...

—Después, Kathleen. Ahora no.

Yo, por mi parte, fui a cenar. Cuando volví, la doctora seguía con Lacey en los brazos. Me senté un minuto a contemplarlas. La doctora estaba pálida y cansada, pero su cara, cuando miraba a Lacey, era dulce y casi amable. Sentí un nudo en el estómago que no me provocaba el hambre; la prueba es que acababa de cenar.

—Señorita doctora —dije con voz un poco cascada por la falta de uso durante aquellos días—, señorita doctora, quiero pedirle disculpas. Sé que si Lacey se perdió no fue sólo por su culpa y estoy segura de que le importamos, aunque sea a su manera un poco fría.

Levantó la vista y susurró:

—No, tenías razón.

Me impresionó tanto que me quedé muda.

—Debería haberos cuidado más a todos —continuó— en vez de estar pendiente de mis problemas. De ahora en adelante, intentaré hacerlo mejor.

Tenía una pregunta que no hubiera sido capaz de formularle a la fría doctora que no se preocupaba por los huérfanos, pero que era capaz de hacer a esta nueva doctora dulce y casi amable.

—Ver a Lacey en sus brazos me lo recuerda. Me gustaría preguntarle por Gertie. Se quejaba y daba la lata de mala manera y le manchó su única falda, pero ¿tenía que abandonarla en Omaha por eso? —la doctora levantó la vista pero yo continué—. ¿Se limitó a dejarla en la estación o le encontró por lo menos un sitio para dormir? Y además hay otra...

—Espera un momento. ¿Te refieres a la niña de ojos verdes que se bajó en Omaha?

—Sí, esa. Gertie. ¿Se limitó...

Me miró socarronamente.

—¿Crees que la tiré del tren?

Estaba a punto de decirle que sí, que eso era justo lo que pensaba, pero ella continuó.

—Gertie daba la lata de mala manera porque le dolían los brazos y las piernas. Podría haber sido sólo lo que se conoce como dolores de crecimiento, pero aún así la examiné a conciencia. Encontré pequeños nódulos o bultos duros bajo su piel. Mi estetoscopio estaba empaquetado en el furgón de equipajes, pero le ausculté el pecho a oído lo mejor que pude, y llegué a la conclusión de que podía padecer fiebres reumáticas. Así que, más adelante telegrafiamos al hospital de Omaha.

Me sentía tan abochornada que había empezado a empequeñecerme en mi asiento y, en ese momento, debía tener más o menos el tamaño de un guisante.

—Ahí es donde fue Gertie. Y, en efecto, tenía fiebres reumáticas; se tratan con salicilato de soda y mucha esperanza. Ahora vive con la familia de un doctor; hace reposo y está bien alimentada. La cuidan. Espero que se recupere y que no le queden secuelas en el corazón. En fin, ¿he respondido a tu pregunta?

Asentí de la mejor forma en que una persona del tamaño de un guisante puede hacerlo.

La doctora se estiró un poco.

—Ahora soy yo la que quiero preguntarte algo. ¿Por qué piensas tan mal de mí? ¿Cómo se te ha podido ocurrir que soy capaz de abandonar una niña junto a las vías?

—Porque como era usted fría como el hielo y parecía que no tenía corazón y que los huérfanos sólo éramos una molestia... —me detuve: hasta a mí me sonaba mal.

—Supongo que puedo parecer fría y sin corazón comparada contigo. Además a mí no se me dan bien los niños. Pero todos me importáis, todos.

Me dirigió una débil sonrisa y volvió a tararearle a Lacey. Me senté en la mecedora y me mecí y me mecí, deseando que alguien me tarareara *a mí*.

Toda la noche la pasaron allí sentadas. La gente entraba y salía para ver cómo iba Lacey. El señor y la señora Tuttle quisieron relevar a la doctora para que ella pudiera descansar o comer o estirar las piernas, pero la doctora no se movió.

Mantuve encendido el fuego, llevé café caliente a la doctora y, en los ratos perdidos, recé a la Virgen que mi madre había amado y al Dios en quién mi padre no había creído. No estaba segura de cuánto creía yo, pero no costaba nada probar. Sin embargo, empecé a quedarme dormida... ni siquiera por Lacey pude permanecer despierta toda la noche.

Por la mañana, Lacey tenía mejor color y no balbuceaba ni temblaba. La doctora la dejó por fin en la mecedora, en un nido de mantas, y se marchó.

—Vigílala atentamente —dijo desde el umbral, señalando a Lacey— y llámame si ella... si...

—Lo haré —dije; puse el gato sobre el regazo de Lacey; se acurrucaron el uno junto a la otra—. La señorita doctora dice que te vas a poner bien, si no no te hubiera dejado.

Lacey abrió los ojos.

—¡Hola, Ro! —dijo.

—¡Hola, Lacey!

—Tienes el pelo revuelto.

—He estado sentada aquí toda la noche —contesté, alisándome el pelo aquí y allá—. No he tenido tiempo de peinarme.

—Está bien. Tú estás guapa de todas formas.

—¿Cómo un árbol frondoso? —pregunté.

—Como un árbol frondoso —contestó.

Me aclaré la garganta.

—Lacey, siento mucho que tuvieras que escaparte por mi culpa.

—¿Por tu culpa?

—Sí, fui mala contigo.

—¿Cuándo?

—En el tren. ¿Recuerdas? No quise a ayudarte a conseguir a Bola de Masa y tú lo agarraste y echaste a correr.

—Eras mala, sí, ya sé. Yo quería quedarme a Bola de Masa y tú no querías ayudarme.

Sacó el labio inferior lo suficiente como para que se columpiara un mono y cruzó los brazos sobre el pecho. Bola de Masa saltó al suelo.

—Lo siento de verdad, Lacey.

—Pero yo no lo robé. El revisor lo metió en el tren y él volvió a saltar fuera. Fui detrás de él para que no se perdiera y, entonces, nos perdimos los dos —se detuvo, lanzándole una sonrisa al gato quien, sentado en la alfombra, se lamía las peludas patas.— Ahora el tren se ha ido, y Bola de Masa está a mi lado.

—Estábamos muy preocupados, ahí fuera podías haber muerto de frío o de hambre.

—Hacía mucho frío, pero las vacas daban calor para dormir y leche fresca para beber.

—¿Leche? ¿De dónde?

—De la vaca. Yo la llamaba Maisie.

—¿Dónde aprendiste a ordeñar una vaca?

—Miré como lo hacía el ternero.

—¡Válgame Dios! —dije—. Eso es pensar con la cabeza.

Estaba sorprendida e impresionada con Lacey. Quizá estaba bien; quizá no era tonta de remate en absoluto. Sonrió de nuevo y se quedó dormida.

Así que no había sido culpa mía, ni de la doctora; Lacey estaba sana y salva; Bola de Masa estaba con ella, y yo era tan feliz que los pies me bailaban dentro de las botas y sentía como música en el corazón. Me acerqué a la ventana y contemplé la adorable, adorable nevada de aquel adorable pueblecito, y me sentí casi tan bien como para echarme a reír.

Las orejas, la nariz y las puntas de los dedos de Lacey estaban rojas y con costras debido a la congelación; la doctora extendió sobre ellos grasa de beicon para que no le picaran. Mi deber era evitar que Bola de Masa se comiera la grasa de beicon. Calenté galones de leche para Lacey y la vigilé mientras dormía, cuando la doctora no estaba. Entonces recordaba lo pesada que se ponía, aferrándose a mí y haciéndome preguntas interminables; recordaba que me había comparado con un árbol frondoso; recordaba que yo creía que era tonta de remate. A veces, le acariciaba la frente mientras dormía y le susurraba:

—Ponte bien, Lacey. Ponte bien.

Nos quedamos unos días más para que Lacey se recuperara del todo. Cuando la doctora no miraba, la señora Tuttle la subía a sus rodillas y le hacía el caballito mientras le alborotaba el pelo.

Un día vino el sheriff y dijo:

—La Jefa quiere saber como se encuentra el bichito después de su dura experiencia.

Le trajo a Lacey un guante de cocina tejido a mano por la propia Jefa, y una pelota con la que él, Joe y Sammy jugaron por el salón. Los pocos huéspedes del hotel nos hicieron breves visitas, palmearon el hombro de Lacey o el mío, y siguieron su camino. Todos lo sentían pero nadie, al parecer, quería llevarnos a su casa.

Joe, Sammy, Lacey y yo nos sentamos juntos una tarde frente a la chimenea, mientras la doctora y los Tuttle visitaban a diferentes personas para ver si querían un huérfano.

—No le importamos a nadie —dijo Sammy—; si los huérfanos le importaran algo a alguien, nosotros no seríamos huérfanos, para empezar.

—Hay personas que quieren huérfanos, pero a nosotros no nos quieren —contesté.

—¡Y nadie en ninguna parte le quiere a *él*! —dijo Joe, y los dos empezaron a pelear una vez más.

Lacey se sentó en mi regazo.

—*Yo* te quiero a ti, Rodzina. Yo te adopto.

La abracé con fuerza.

—Gracias, Lacey, pero no puedes hacer eso. Eres muy pequeña.

—Entonces, *tú* me adoptas a *mí*. Tú no eres pequeña.

—No soy pequeña, pero soy huérfana, como tú. Tú necesitas una familia: una mamá de dulce regazo y un papá de hombros fuertes para que te lleve sobre ellos; y una casa y un perro y un manzano.

—A lo mejor alguien nos quiere a las dos juntas.

—A lo mejor.

—Eso espero.

Para mi sorpresa, yo también lo esperaba.

Al fin, la doctora tuvo que rendirse y admitir que no había hogares para nosotros en Odgen, territorio de Utah. Teníamos que seguir hacia el oeste. La última noche que pasamos en Odgen, celebramos la recuperación de Lacey y nuestra partida con una cena de postín. Vino el sheriff, pero la Jefa no; también asistieron Buster y Angus, que habían participado en el rescate de Lacey. Hubo antílope y ciervo, nabos y patatas, y dos clases de torta.

Salí fuera para usar el excusado. El cielo estaba tachonado de nubes, y la luna bailaba entre la nieve. Cuando volví, todos reían y comían; la luz del fuego brillaba en sus rostros. Lacey estaba sentada en el regazo del señor Tuttle; él le daba trocitos de comida y ella, a su vez, le daba trocitos a Bola de Masa. Joe y Sammy se hacían muecas. La señora Tuttle hablaba bajito con la doctora, y el sheriff contaba chistes a Angus y a Buster. Yo estaba sola y los miraba.

Me senté de nuevo y tomé otro poquito de torta. Lacey, con la boca llena, dijo a voz en grito:

—¡Esta es la mejor noche de mi vida, y espero no morirme nunca!

Todos nos echamos a reír y aplaudimos:

—¡Eso, eso! ¡Bien dicho!

En esto, la señora Tuttle, mirando a la doctora, dijo:

—Rutherford y yo hemos estado hablando. ¿Que le parecería si Lacey y Bola de Masa se quedaran con nosotros?

La doctora le sonrió.

—¡Ay, sí! —gritó Lacey—. ¿Pero no les importa que sea lenta?

El señor Tuttle se levantó y sentó a Lacey a horcajadas sobre sus fuertes hombros.

—No es que seas lenta: lo que pasa es que el mundo es malditamente rápido.

Lacey asintió.

—Malditamente rápido —repitió poniendo la mejilla sobre la abundante mata de pelo.

.11.

NEVADA

Joe, Sammy y yo debíamos seguir rumbo al oeste con la doctora. Nos dirigíamos a la Escuela de Oficios cercana a San Francisco. En ella recalaban los huérfanos que nadie había querido; allí les enseñaban distintos oficios. La doctora decía que Sammy y Joe irían a la zapatería, y que a mí me iban a preparar para el servicio doméstico; o sea, para ser una fregona, una *kopciuszek*, que decía mamá. Planchar, lavar, coser... cacharros sucios a tutiplén... "Seguro que me cortan el pelo y me dan de comer papilla y pan duro", pensé. ¡Repámpanos! Para eso lo mismo me hubiera dado quedarme con Peony y Oleander..., al menos me hubiera ahorrado tanto baqueteo y tanto ir y venir por todo el país. Después de aquel interminable viaje en tren, de oscilar y traquetear, de padecer penalidades y congelación, lo único que iba a ver de California era el interior de una escuela de oficios.

El día que nos fuimos, el sheriff vino a despedirnos. Se bajó del caballo, escupió un pegote de tabaco masticado sobre la nieve, entró y se arrellanó en uno de los mullidos sofás; a su lado, el mueble parecía de una casa de muñecas. Sammy y Joe correteaban por el salón, jugando a pillarse y metiendo bulla.

—He estado hablando con la Jefa —dijo—, en casa sólo estamos ella y yo, y parece que no nos vendría mal alguien más —se levantó y atrapó a Sammy con una de sus manazas—. ¿Qué tal si me quedo con éste?

Sammy le atizó una patada en la pierna mientras Joe se tiraba sobre Sammy y se colgaba de él. ¡Señor, estos dos estaban destinados a pegarse hasta el día del Juicio Final!

La doctora se levantó y sujetó a Joe.

—¿Qué le parecería llevarse a los dos? Da la impresión de que están muy unidos.

—No sé. La Jefa ha dicho...

—Ellos lo niegan, y nosotros no estamos seguros, pero yo creo que son hermanos. No nos gusta separar a los parientes si podemos evitarlo.

Sammy pegó un salto.

—No sea idiota. Ya le he dicho que Joe no es mi hermano. Joe es...

—¡Cállate! —aulló Joe, pateando a Sammy.

—Joe es... —Sammy se calló y se miró los pies.

—Continúa, Sammy. ¿Quién es Joe?

Se lo preguntó la doctora, y yo me alegré de que lo hiciera porque me moría de curiosidad. Esos dos habían mantenido últimamente un montón de interesantes charlas sobre secretos.

Sammy miró a Joe y después al resto de nosotros.

—Joe no es mi hermano. Es mi hermana.

Todos guardamos silencio. ¿Hermana? Todos nos quedamos desconcertados. *¿Hermana?*

Miré a Joe. Podía ser, supuse. Joe y Sammy habían llegado al tren en el último momento y no se habían desvestido para lavarse o cambiarse de ropa con ninguno de nosotros.

Joe aguantó el tipo, aunque se puso más roja que el puré de remolachas de mamá; levantó la barbilla y dijo:

—Sí, hermana. ¿Pasa algo?

Ninguno de nosotros dijo que pasara nada.

—Eso significa que has mentido... —empezó a decir la doctora, pero Sammy la interrumpió.

—No he mentido. He dicho la verdad. Joe *no es* mi hermano.

El silencio volvió a hacer acto de presencia, mientras tratábamos de encontrarle el sentido a lo que Sammy acababa de decir. Finalmente, el sheriff se aclaró la garganta, movió los pies y chasqueó los tirantes unas cuantas veces.

—Bien, mi casa es *demasiado* tranquila —dijo—. Es probable que os lleve a los dos para que la animéis —abrió los brazos y los envolvió a ambos.

Joe y Sammy se sonrieron el uno al otro. De hecho, los tres sonreían como calabazas de

Halloween. Vamos, que el mundo no había visto algo parecido desde que el duque Ladislao el Breve unificó la Gran y la Pequeña Polonia en 1314.

¡Hermana! Fíjate. Sacudí la cabeza.

Así que Joe y Sammy se quedaron en Odgen, Utah, con el sheriff y la Jefa. Me hubiera encantado echarle un vistazo a aquella mamá aún más grande que el sheriff Earl, pero no tuve ocasión.

Poco antes de la hora de comer, nos despedimos del sheriff y de los hermanos. A Sammy le di la mano y le deseé buena suerte y patatas calientes para toda la eternidad. A Joe intenté abrazarla pero, como me lanzó una mirada que hubiera podido fulminar una planta de maíz a cincuenta pasos, opté por darle también la mano.

El señor Tuttle nos llevó a la doctora y a mí a la estación; su esposa y Lacey también vinieron. En el andén, Lacey me echó los brazos al cuello y me besó las mejillas una y otra vez. Decirle adiós fue tan difícil como me había temido. Lacey se había hecho un huequito en mi corazón, y no se puede dejar de amar a alguien sólo porque convenga, sólo porque tiene que separarse de ti.

—Te escribiré, Lacey —dije—, y tu nueva mamá podrá leerte las cartas hasta que aprendas a leer por tu cuenta.

—Siento mucho que no seamos hermanas —contestó—, pero ya no voy a estar triste ni voy a tener miedo nunca más.

La abracé y la mecí en mis brazos un instante, tarareándole la canción que papá y mamá me cantaban en mi cumpleaños:

—*Sto lat*, cien años, deberías vivir cien años.

Después, la familia Tuttle subió a la carreta y se marchó.

Había indios al lado del edificio de la estación. Los hombres llevaban camisas de algodón, pantalones que les llegaban por debajo de la rodilla y chillonas mantas de rayas atadas alrededor del torso; las mujeres iban tan envueltas en sus mantas azul oscuro que todo lo que se veía de ellas eran los mocasines. Un chico, de la altura de Mickey Dooley, que llevaba el brillante pelo negro sujeto con una cinta roja, exhibía una expresión dura y amenazadora. Pasó cerca de mí, así que le miré con detenimiento.

Él me miró de frente. Sus ojos eran tristes, temerosos e inseguros. Me llevé una gran sorpresa pero, en realidad, me duró poco: supuse que, dentro de nosotros, hay mucho más de lo que la gente puede ver. Pensaréis que después de lo de Mickey Dooley debería haberlo sabido.

Me pasaba también a mí. Guardaba en mi interior mucho más de lo que la gente podía ver. Sí, no tenía por qué sorprenderme, debería haberlo sabido.

Hice un pequeño gesto amistoso con la mano para saludar al muchacho, cómo hubiera hecho con Mickey Dooley, pero él no me lo devolvió.

El muchacho y su familia subieron a la plataforma del último vagón de un tren que se dirigía al este. Pensé que allí pasarían un frío terrible. En ese momento deseé que les estuviera permitido viajar dentro, donde hacía un poco más calor. Hubiera asegurado que lo único que querían era trasladarse de un lugar a otro, como el resto de nosotros y supuse que la señorita Merlene tenía razón: les habían robado.

Después de todo, yo era la única que iba con la doctora a California: era la huérfana más rechazada del mundo. Considerar que yo misma me lo había buscado no hacía que me sintiera mejor, pero lo consideré. Ahora me daba cuenta de que había gente que quería huérfanos para cuidar de ellos y no para convertirlos en sus esclavos. Gente buena como los Tuttle o como el sheriff. Había familias para los huérfanos, y yo quería una. Deseaba lo que Nellie, Spud, Chester, Mickey Dooley, Lacey, Sammy y Joe tenían; un lugar al que pertenecer, una familia de verdad, mi propia gente, gente a quien le importara.

Ya era demasiado tarde. Quizá incluso en Grand Island o en Cheyenne hubiera podido encontrar esa clase de gente, pero aunque la hubiera tenido delante de las narices no me hubiera dado cuenta, por lo obsesionada que estaba con que me iban a vender. Y ahora era huérfana permanentemente y para siempre. A lo mejor podía... ¿Qué? ¿Qué es lo que podía hacer yo?

La doctora compró los billetes a un muchacho granujiento con pajarita que atendía la taquilla de la sala de espera de la estación. Al salir, encontramos un banco libre y nos sentamos a esperar nuestro tren. La doctora suspiró con fuerza; una vez; y otra; y otra más.

—¡Hay que ver! —dijo—. Fíjate. Una chica. Pensarás que debería haberme dado cuenta, siendo doctora, teniendo costumbre de examinar a la gente. Supongo que estaba demasiado pendiente de mis propios asuntos para ver lo que hubiera debido ver.

—¿Cree usted que le irá bien a Joe? —pregunté— ¿Y a Sammy, y a Lacey, y a Nellie y a los otros?

"¿Y a mí? —me hubiera gustado añadir—. ¿Qué va a ser de mí? ¿Me irá bien?", pero no pude preguntarlo en voz alta. Sólo fui capaz de decir:

—Todos dicen que los huérfanos no acaban bien. Hasta el señor Szprot lo dice.

—Yo no le haría demasiado caso al señor Szprot. Cumplió con su cometido, supongo, pero a veces pienso que su cigarro sabe más de huérfanos que él.

La miré de hito en hito. La doctora era una caja de sorpresas.

—¿Pero tenía razón? ¿La mayoría de los huérfanos no acaba bien?

—Muchos huérfanos han acabado bien. Por ejemplo: Oliver Twist y David Copperfield, los personajes de los libros de Dickens, o el Tom Sawyer de Mark Twain. Y Jane Eyre, huérfana y mujer.

—Pero eso pasa en las novelas. ¿Conoce a algún huérfano de carne y hueso al que le haya ido bien?

—Ahora no se me ocurre ninguno.

Lo sabía. Ni siquiera la cultivada señorita doctora podía citar un huérfano que hubiera sido feliz y hubiera tenido éxito.

—No te preocupes tanto —dijo—. En la escuela de oficios te irá bien, tendrás ropa y comida, y aprenderás un oficio. La experiencia te resultará... eh, beneficiosa. En fin, estoy completamente helada, ¿por qué no entramos y nos calentamos junto a la estufa?

—No, vaya usted. Yo me quedo aquí.

Ella entró y yo paseé por el andén. Miré las vías a izquierda y derecha; se perdían al este y al oeste, delante y detrás, de frente y por la espalda, como mi vida. ¿Acababan en la Escuela de Oficios? ¿Era allí dónde iba a terminar mi vida? ¿Qué otra cosa podía hacer? Y, además, ¿qué quería hacer?

Escuché el largo y fantasmal sonido del silbato del tren antes de ver que se acercaba. De repente, apareció una luz, como una estrella gigantesca, aproximándose cada vez más, y se escuchó el terrible repiqueteo del motor. La locomotora aumentó de tamaño hasta que irrumpió en la estación, resolló como si tuviera la gripe y, despidiendo chispas por las ruedas, se detuvo.

La doctora salió de la sala de espera, subimos al tren y buscamos un sitio. Yo me senté al lado de la ventanilla y estuve mirando por ella hasta que dejamos atrás los campos nevados de Odgen. El vagón era ruidoso, estaba plagado de chillidos, quejidos y llantos de niños; olía a almuerzos empaquetados y a cigarros.

Al anochecer, nos detuvimos en una cantina que no era más que una especie de casucha con mesas sucias, camareros sucios y agua sucia. Los comensales estaban frenéticos tratando de conseguir la atención de los camareros y alguno de los enormes platos de comida que por allí se veían, antes de que el tren se pusiera en marcha. La doctora pidió sopa de tortuga y té; eso costaba quince centavos. Miré atentamente los filetes que comían algunos, pero eso costaba cincuenta centavos, y recordé que la doctora había dicho que no era precisamente rica. Por eso, en vez de filete, pedí estofado de conejo y pan; eso costaba diez centavos. Preocupada como estaba por mi futuro, no dejé ni una gota.

Después de cenar, subimos al tren y nos pusimos cómodas. El tren rugió y atronó como si cruzara un desfiladero sobre un puente altísimo y luego, de repente, se metió en las montañas, aferrándose a un estrecho saliente de roca. Por fin llegamos a las vastas, secas y escabrosas tierras altas de Nevada. Habíamos dejado atrás los Territorios y volvíamos a los Estados Unidos propiamente dichos.*

Atravesamos desiertos de tierra y artemisa. No se veía ni un pueblo, ni un árbol, ni un río. Los pasajeros debíamos ser la única cosa viviente en millas.

Toda la noche y todo el día siguientes, cruzamos áridas y enormes llanuras limitadas por cadenas montañosas. Las vías se perdían en el horizonte y, en el camino que corría paralelo a la vía del tren, se veían señales escritas a mano: Desfiladero del Caballo Muerto: 3 millas; Cuello Grasiento: 10 millas; Barranco de la Mofeta: 5 millas; Petardeador: 20 millas; Civilización: En ninguna parte. Cada día que pasaba estaba más sucia, más dolorida y más cansada, pero también me daba miedo llegar al final del viaje. ¿Estaba esta California aún sobre este mundo o nos dirigíamos hacia la Luna?

* Los Estados Unidos se constituyeron como nación independiente a finales del siglo XVIII. En aquella época eran 13 estados, frente a los 50 de hoy. Se llamaba Territorios a las tierras en proceso de colonización que se encontraban al oeste del país y que fueron posteriormente elevados al rango de Estados (N. del T.).

·12·

CIUDAD DE VIRGINIA

En la oscuridad, el traqueteo y el balanceo del tren parecía el ritmo de una canción. Me tranquilizó, pero no por ello conseguí dormir. Pensaba en Lacey, Joe y Sammy. Ellos habían sido para mí, durante un tiempo, como una familia. Ahora tenían familias propias, familias que no les iba a obligar a cavar zanjas o a hacer la colada. Los echaba de menos... y además, sobre todo, estaba preocupada por lo que iba a ser de mí.

—¿Señorita doctora? Me siento muy mal al pensar que tengo que quedarme en esa escuela de oficios porque nadie me quiere.

Ella tardó un poco en contestar.

—Sé cómo te sientes —dijo por último—. Cuando decidí ser médico, todo el mundo intentó quitármelo de la cabeza. Mi familia me dio la espalda. Ningún doctor me quiso como ayudante, y la mayor parte de las escuelas de medicina no admite mujeres.

Di unas cuantas patadas al asiento que tenía enfrente. Dudé que pudiera entender cómo me sentía; después de todo, ella tenía madre, ¿no? Dejé de dar patadas. ¿Tendría madre aún? No lo sabía. No sabía nada de ella, y sentía verdadera curiosidad por un montón de detalles..

—¿Por qué no la querían?

—Un decano me dijo que no era conveniente para las mujeres conocer su físico, porque enfermaban de los nervios —explicó frunciendo el ceño—. Y también me dijeron que demasiados estudios provocaban, en la mujer, crecimiento desmesurado del cerebro, raquitismo y malas digestiones.

—¿Y eso es verdad?

—¡Desde luego que no! ¿Parezco consumida o enfermiza? Por fin conseguí que me admitieran, a regañadientes, en la universidad de Michigan. No pasaba un día en que no sufriera alguna humillación o algún desprecio. Me pusieron ranas en las botas, sangre en la silla… y la clase se partía de risa si se me ocurría hacer una pregunta o responderla. Pero yo perseveré.

—Y ahora es una doctora de verdad.

Admiraba su obstinación. Vaya que sí: había puesto tanto empeño en alcanzar su objetivo como aquella rata de la estación de Cheyenne.

—Sí, lo soy, aunque la mayoría de la gente me llame señorita o señora, como si una mujer no pudiera ser doctora. Creo que si fuera una asesina o padeciera la rabia, no me sentiría tan rechazada como me siento.

Rechazada. Igual que una huérfana tozuda y demasiado mayor que llevaba puestas las botas de su padre. Igual que yo, que iba camino de una escuela de oficios donde habría otros huérfanos que nadie había querido, sin planes ni esperanzas, desechada como los desperdicios en el arroyo Bubbly. Volví la cabeza y, entre preocupaciones, intenté dormir.

La mañana nos encontró de nuevo en el aire limpio y frío de las montañas. En la estación de Reno, la doctora y yo bajamos del tren y caminamos un poco para estirar las piernas.

—Voy dentro a mandar unos telegramas —dijo.— Tengo que avisar de tu llegada a la escuela de oficios. Nuestro tren no sale hasta que se marche el que va a la Ciudad de Virginia; puedes esperarme en el banco que está al lado de la taquilla.

Eso era todo. La doctora me mandaba a la escuela de oficios, y yo no tenía un plan mejor. Sentí que me faltaba la respiración, así que bebí un vaso de agua. Había anuncios, como de costumbre, sobre la pared de la estación; los leí mientras bebía.

❧❧

SE BUSCA PARA IR AL INTERIOR DEL PAÍS

un cocinero protestante competente, entendido
en el manejo de leche y mantequilla.
Interesados pónganse en contacto con
H. James, River Street II, Reno.

❧❧   ❧❧

❧❧

MADAME SOLANGA,
REPUTADA MÉDIUM Y ADIVINA,

*ha llegado a la ciudad y se hospeda
en el Hotel Reina. Donde realizará sus consultas
en cualquier idioma y sobre cualquier tema
relacionado con negocios u otros asuntos.*

❧❧   ❧❧

❧❧

MILLONES DE ACRES DE TERRENO

*en California, la Cornucopia del Mundo, están a la
venta y se pueden adquirir con un crédito a 10 años.*
NO HAY CICLONES
NI TORMENTAS DE NIEVE.

❧❧   ❧❧

❧❧

¡PARA EL NUEVO EL DORADO!

*1.400 pistolas de Seis Disparos de segunda mano y
1.000 rifles Winchester.
Ya que las rutas que conducen al Oro y la Plata
pasan por territorios peligrosos,
es necesario que las partidas estén bien Armadas.
Llamar a* MARVIN,
COMPAÑÍA DE ARMAS DE FUEGO.

❧❧   ❧❧

No había carteles de búsqueda de Narizotas George ni nadie por el estilo. Un anuncio, mayor que los otros, decía con letra muy rebuscada:

೪ఞ

¡EL PARAÍSO DE LAS SOLTERAS!

Mineros y granjeros de cualquier edad, talla y condición buscan mujeres para compartir su prosperidad.
Se prefieren verdaderas señoras. Se ofrece matrimonio, casa y una generosa asignación mensual.
Escribir a Sra. F. Semillatiesa
Hotel Virginia Palace, Ciudad de Virginia, Nevada.

೪ఞ   ೪ఞ

¿Semillatiesa? Me pareció un apellido muy divertido, pero no me reí; los que teníamos Czerwinskis, Kwasniewiczes o Stelmachoskas entre sus parientes nos lo pensábamos dos veces antes de reírnos de apellidos como Semillatiesa.

Me senté donde me había indicado la doctora, y me di un fuerte golpe en los tobillos. Aquí estaba, había cruzado casi el país entero para acabar siendo rechazada en cuatro estados y dos territorios.

¿Era tan apocada, tenía tan pocos recursos como para limitarme a estar allí sentada y aceptar pasivamente lo que me viniera encima? No. Era grande, como un árbol frondoso que además estaba creciendo. Me las había sabido arreglar en las calles de Chicago y había podido librarme de Peony y Oleander... y de Clench; seguro que se me ocurría algo para librarme de esto.

¡Ciudad de Virginia, Nevada! Me di cuenta de golpe. ¡Ese anuncio en el que se buscaban novias para mineros mencionaban la Ciudad de Virginia, Nevada! Allí era donde se dirigía el pequeño tren al que se había referido la doctora. Me hubiera gustado saber si algunas de las mujeres que había por allí pensaban ir.

Una mujer guapa vestida con un traje de seda del color azul de la porcelana china pasó por mi lado con un frufrú del vestido. ¿Iba a casarse con un minero? Yo también podría ponerme un traje de seda azul, hacerme un moño y parecer guapa, si fuera una novia y no una huérfana.

Entonces, de pronto, me asaltó un pensamiento. ¿Era ésta la solución? ¿Podría *yo* ser la esposa de un minero? ¿Por qué no? Aparentaba más de doce años —la señora Clench pensó que tenía quince— y, casándome con algún minero solitario, conseguiría una casa, una familia y una asignación mensual. No había querido ni tocar al viejo y asqueroso Clench, pero casarme con un hombre atractivo de mi propia elección era mejor que ir a una escuela de oficios donde me afeitaran la cabeza y me mangonearan continuamente. La señorita Merlene, la del novio esmirriado que la había esperado con un ramo de feas flores me había parecido bastante feliz.

Me levanté y busqué la oficina de telégrafos para contarle mi idea a la doctora pero, a medio camino, me detuve. Seguro que ella opinaba que no era un buen plan. Lo sabía. Tenía que moverme con rapidez, antes de que regresara.

Me estiré las medias, me rasqué las rodillas, me puse derecha y me acerqué al taquillero, un joven con lentes y tirantes rojos. La ventanilla enrejada proyectaba sombras oscuras sobre su cara.

—¿Cuánto cuesta el billete para ese tren que va a la Ciudad de Virginia?

—¿Sólo ida o ida y vuelta?

—Sólo ida —dije confiadamente porque allí me esperaba una nueva vida.

—Un dólar setenta, señorita —contestó.

Lo mismo podría haber costado un millón setenta. No tenía dinero; pero llevaba mis pertenencias en la maleta de cartón que había dejado en el tren. Mamá decía que podías pedir ayuda a la Virgen siempre que lo necesitaras, y eso pensaba hacer, a mi manera.

—¿Podría yo —pregunté— comprar el billete pagando con una estatua de la Virgen María traída desde Polonia?

Sacudió la cabeza.

—Ni con cien estatuas. Yo al ferrocarril tengo que entregarle dinero, no baratijas.

¡Psiakrew! ¿Y qué hacía yo ahora? Salí al andén.

—¡Viajeeeeeros al tren! —gritó un revisor de cara simpática con pelos blancos sobre el mentón y la nariz como un tomate. La gente iba y venía, subía y bajaba. Me arrimé a un grupo que tenía pinta de ser una familia, esperando ser tomada por uno de los niños, pero, cuando intenté subir al tren, el revisor me sujetó del brazo.

—¿Su billete, señorita?

Dando un profundo suspiro, le miré con tristeza.

—¡Ay, señor revisor! —dije con una aceptable imitación de la voz tímida e inocente de una niñita.— Mi anciana abuelita ha subido al tren, y no he podido abrazarla ni decirle adiós, y seguro que no tengo otra ocasión de verla, porque está tan enferma... y tan vieja... y se está quedando ciega... y...

La gente se estaba amontonando detrás de mí, deseando subir.

—De acuerdo, pequeña, sube como un rayo y abraza a tu abuelita —contestó—. Pero muy rápido, subir y bajar, porque nos vamos dentro de... —sacó un reloj de su bolsillo y lo consultó—... tres minutos y medio.

Así que subí como un rayo y allí me quedé, escondida en el aseo del fondo del vagón. "Por favor —pensé—, que el revisor se olvide de mí, que nadie necesite usar el aseo, que nos vayamos pronto".

Al fin, con un fuerte ruido y una sacudida, el tren se puso en marcha. El corazón me dio una voltereta lateral, algo que el resto de mí nunca podría hacer; ya lo había intentado una vez, cuando tenía siete años, y lo único que conseguí fue un tobillo torcido y un dedo roto que aún me dolía algunos días de lluvia.

Según aumentaba la velocidad del tren, iban también en aumento mi inquietud y mi inseguridad. Sentía haberme dejado la maleta, con el chal de mamá, la Virgen y mis otros recuerdos, pero no había tenido tiempo ni modo de subirla al tren. Y tampoco me gustaba haber abandonado así a la doctora. Supuse que debería haberle dejado una nota o un recado. ¿Cuánto tiempo pasaría allí esperándome o buscándome, antes de rendirse y continuar el viaje sin mí? "Ella nunca me hubiera abandonado", pensé. Pero, en realidad, yo no le importaba, ella no hacía más que cumplir con su trabajo. Lo mismo se alegraba de perderme de vista y de que dejara de darle la lata.

Agachándome todo lo que una chica alta puede agacharse, salí del aseo y me acurruqué en un asiento del fondo del vagón. Contemplé las escarpadas colinas, los arroyos y los miles de árboles que pasaban por la ventanilla; cuando pasó el revisor, tuve que volver a esconderme.

Los pasajeros se acomodaron para el viaje, se quitaron los abrigos, desempaquetaron los almuerzos y desdoblaron los periódicos. Había unas cuantas mujeres: una señora con un moño lleno de rizos, una joven de mejillas sonrosadas y gorro marinero, una muchacha con un sombrerito de paja y un vestido camisero arrugado y una chica de cabello negro con una sombrilla en sus finas manos. ¿Hacían el viaje para convertirse en esposas? Pensé que, desde luego, eran guapas, y que no iban a tener problemas para encontrar a alguno que quisiera casarse con ellas. Al ver mi reflejo en la ventanilla, me escupí en la mano y me alisé el pelo como pude; después crucé las piernas de tal manera que los agujeros de mis medias quedaran ocultos.

En el asiento que estaba frente al mío iban sentados un hombre y una mujer que se miraban y sonreían. Ella llevaba un traje de rayas grises ribeteado con piel, y él un sombrero de fieltro negro recién cepillado y de aspecto flamante. Así me imaginaba yo a mí misma y a mi prometido al dirigirnos a nuestra nueva casa y a nuestra nueva vida. En la boda, compartiríamos pan, sal y vino, y nunca más me sentiría sola o hambrienta. Tendríamos una casa y un manzano, y Lacey vendría a vernos... y Sammy, Joe y Mickey Dooley... y la doctora. A lo mejor podían venir en Pascua y comeríamos salchichas de cerdo, rábano picante y huevos decorados... Mientras el hombre del sombrero besaba la mano de la muchacha, suspiré.

El tren avanzó por un tramo lleno de curvas que nos hacían inclinarnos a izquierda y derecha; nos adentrábamos en el frío y oscuro corazón de las montañas nevadas. Las nubes eran espesas y bajas. En las faldas de las montañas podía verse el tenue verdor de hierba nueva, pero también se veían las cicatrices de las minas y los túneles; y montones de tierra, rocas y desperdicios.

Mientras proseguía nuestro avance, me dediqué a contar postes. Mamá decía que las chicas de Polonia adivinaban el aspecto de sus futuros maridos mirando la forma del poste que hiciera el número catorce. Contara las veces que contara, mi poste número catorce pronosticaba un marido bajito y rechoncho, gastado y solterón, como alguien sacado de un anuncio de tabaco o alimento para cerdos.

Una vuelta más y llegamos a la Ciudad de Virginia. Era pequeña, incluso para ser una ciudad del oeste. El pueblo partía de las vías del ferrocarril y se elevaba, en terrazas sucesivas, sobre la falda de una montaña; cada nivel estaba atestado de casas, tiendas, *saloons*, iglesias y hoteles; también había algunos edificios grandes con balcones y torres con relojes.

El edificio de la estación estaba rodeado por indios envueltos en mantas rojas, vaqueros con grandes sombreros Stetson, mineros con ropa de franela e incluso algunos tipos normales y corrientes, pero ni una sola mujer: un montón de gente y todos hombres. No cabía duda de por qué la señora Semillatiesa solicitaba mujeres: ningún hombre podía encontrar esposa en esa ciudad de hombres. Sentí un poco de miedo. ¿Me esperaban todos a mí?

Estábamos en la Ciudad de Virginia, pero no me bajé del tren a todo correr. Antes quería contemplar un poco la actividad del exterior por la ventanilla.

Parejas de enamorados paseaban del brazo; apreté la cara contra el cristal para verlos lo mejor posible.

Cuando me levanté para bajar, el revisor me bloqueó el paso. En aquel momento, su cara no tenía nada de simpática.

—Vaya, señorita, me parece que me recuerda usted a alguien —me puso la mano en el hombro—. A alguien que no tiene billete. ¿Qué está haciendo en este tren?

Traté de zafarme de su garra.

—¡Suélteme! ¡Me está haciendo daño! ¡Suélteme!

No quería llorar, pero sentía las lágrimas cayendo por mi cara y sabía que estaba a punto de ponerme a llorar a moco tendido.

Me zarandeó con fuerza.

—Viajar sin billete es lo mismo que robar al ferrocarril. Aquí, a los ladrones los metemos a la cárcel.

En ese momento, una persona golpeó al conductor con su paraguas.

—¿Se puede saber qué le está haciendo a esta niña?

Allí, a nuestro lado, había una señora vieja y pequeñita, de cabello gris y profundas arrugas, pero derecha como un bastón.

—Ésta chica no tiene billete.

—¿Y por eso la amenaza usted con la cárcel? ¡Cárcel! ¡Algunos hombres tienen menos cerebro que un mosquito! ¿De dónde eres, niña?

El llanto a moco tendido estaba en plena ebullición, así que lo único que pude decir, entre sollozos, fue:

—Chicago.

—Se subió en Reno, diciendo algo de que iba a ver a su abuelita —añadió el revisor.

—Bueno, pues eso hizo. Resulta que yo voy a ser su abuelita y le voy a pagar el billete de ida y vuelta a Reno —extendió la mano—. Esto es para usted. Espero que la devuelva sana y salva al lugar al que pertenezca.

El revisor tomó el dinero y se tocó la gorra.

—Sí, señora —dijo.

—Y tú, niña —dijo la señora—, vete a casa. Plántale cara a lo que te haya hecho huir. Señor, seguro que hay alguien muerto de pena, pensado en lo que puede haberte pasado —le dio otro golpecito al revisor con el paraguas—. ¡Cárcel! Una niña. ¡Ridículo! Haga algo útil y ayúdeme a bajar del tren.

Tenía razón. Era alta... pero era una niña. Lo sabía. No era la señorita Merlene ni una adorable señora de traje gris ni una mujer de mejillas sonrosadas y gorro marinero. Allí, en la ventanilla, estaba mi reflejo: una muchacha grande y rolliza de doce años, que no era guapa pero que se parecía a su papá, con el pelo sucio y agujeros en las medias. ¿Pero en qué habría estado yo pensando? Nadie había querido adoptarme y ¿pretendía encontrar a alguien que quisiera casarse conmigo?

Otra vez empecé a llorar.

"Deja de comportarte como una niña", me dije.

"Soy una niña", me contesté.

No podía bajar del tren y casarme con un extraño. Antes tenía que crecer.

¿Y ahora qué? Tampoco podía llegar a San Francisco por mi cuenta, porque la doctora ya se habría marchado. A lo mejor el jefe de estación de Reno podía telegrafiar a la escuela de oficios para que me mandaran dinero para el billete. Y si no, podía meterme en las montañas y morirme de hambre. Nadie me quería, así que nadie iba a echarme de menos.

—¡Viajeeeeeros al tren! —gritó el revisor.

Y el tren comenzó a llenarse otra vez para emprender el trayecto de vuelta a Reno. Me hice un ovillo en un asiento y pasé todo el viaje durmiendo.

Cuando llegamos a Reno, el revisor me sacó del tren, agarrándome con fuerza del brazo, y me llevó al despacho del jefe de estación. Y allí... ¡estaba esperándome la doctora, la hermosa doctora, la doctora en quien se podía confiar!

—¡Rodzina! —gritó, corriendo hacia mí y abrazándome.

En ese momento, me di cuenta de lo pequeña que era, mucho más baja que yo y no mucho más gruesa que un bastón pero, cuando la abracé, me sentí a salvo.

Nos quedamos un momento abrazadas; después ella me retiró un poco y me miró.

—¿Pero qué te ha pasado? ¿Dónde has ido? ¿Pero estás bien? Íbamos a avisar al sheriff.

No pude contestar: me había echado a llorar otra vez. Salimos del despacho y me condujo a un banco donde nos sentamos, yo llorando y ella chasqueando la lengua.

Cuando al fin la miré, me secó la cara con su único pañuelo.

—Como usted no me pudo encontrar una familia —dije hipando—, se me ocurrió ir a la Ciudad de Virginia y casarme con un minero y formar una. Pero soy demasiado joven —gimoteé un poco más—. Así que volví. ¿Por qué está aquí todavía?

—No podía irme sin ti.

—¿Por qué no? Se fue sin Joe, Sammy, Lacey y los demás.

—Eso era muy diferente. A ellos los dejé con una familia. Tú estabas sola en la jungla, podías haberte perdido, o podían haberte raptado, o podían haberte robado unos osos pardos. ¿Cómo podía dejar sola a una huérfana de doce años, aunque sea tan decidida como tú? Tenía que saber si estabas bien, y parece ser que no.

—No —contesté—, supongo que no.

Me puse más cerca de ella; con lo pequeña que era y parecía irradiar fuerza y solidez.

—No eres más que una niña, Rodzina —dijo con su voz dura y fría—, no puedes hacer todo lo que se te pase por la cabeza.

Poniendo su mano sobre la mía añadió:

—Prométeme que nunca volverás a hacer algo así.

—Lo prometo —sollocé—. Lléveme a la escuela de oficios y déjeme allí hasta que muera de infelicidad y tristeza... y mala comida. No volveré a escaparme. Lo prometo.

Lo dije de verdad. Ya había tenido bastantes viajes. Quería llegar a algún sitio y quedarme allí.

·13·

CALIFORNIA

Tuvimos que esperar en Reno durante horas, hasta que salió otro tren de la Central Pacific para California. El jefe de estación llevó los bolsos de la doctora y mi maleta. Después de todo, no había perdido lo que quedaba de mi vida anterior. Todavía tenía la Virgen envuelta en el chal rojo y amarillo de mamá, la gran canica azul con el centro como de fuego que había sido de Jan o de Toddy —nunca supe de cuál— y la tarjeta hecha por la propia Hulda que decía "Amigas para siempre". Miré mi reflejo en la ventanilla: y de papá me quedaban sus botas y mi cara.

Me acomodé en el asiento. Con cada silbido y cada resoplido que daba la locomotora nos alejábamos más de la Ciudad de Virginia y nos acercábamos más a San Francisco y a la escuela de oficios.

En algún lugar al oeste de Reno, entramos en California. Allí nos detuvimos para añadir una segunda locomotora. El revisor dijo que teníamos que subir una abrupta pendiente y que no bastaba con una para arrastrar el tren.

En efecto, la pendiente era tan considerable que nos hundía en los asientos. Nadie se levantó ni se movió de su sitio. Yo rogué para que esas dos locomotoras fueran capaces de escalar la montaña y no nos dejaran caer cuesta abajo hasta Omaha o se pararan a mitad de trayecto y nos quedáramos allí sin comida... aparte de garras de oso, narices de alce y nieve.

Nos adentramos en bosques de pinos y abetos, subiendo y subiendo. Había árboles por todas partes, grandes y frondosos, con las ramas cubiertas de nieve, algunos más altos que los mayores edificios de Chicago. Pensé que había más árboles en California que semillas de amapola en el pastel navideño de mamá.

Pasábamos tan a menudo por túneles de madera, largos y altos, no excavados en la roca sino construidos, que el revisor explicó que los habían hecho para que la nieve no impidiera la circulación de los trenes. Por lo visto, la gente había vivido y trabajado en ellos; esos túneles habían cubierto casas, tiendas, plataformas giratorias, almacenes, vías muertas... de todo. Era un fantástico mundo subterráneo, como el mundo en el que debían vivir las hadas o los perrillos de las praderas que vi en Wyoming. ¿Pero los vi en esta vida? ¡Qué lejos parecía!

En la estación de Summit, la doctora y otros pasajeros bajaron del tren; yo no bajé. Estábamos a

7.042 pies de altura sobre el nivel del mar, no me pareció demasiado ya que en Sherman habíamos estado a 8.235.

Cuando subieron, continuamos hacia Sacramento: teníamos que descender setecientos pies en cien millas de curvas y giros. El tren traqueteaba y se inclinaba en las repentinas curvas y en los estrechos salientes de la montaña. Las ruedas de los vagones delanteros se ponían al rojo vivo como discos de llamas.

Bajo la pálida luz de las lámparas de gas, en el vagón sólo se distinguían sombras, y es más fácil hablar de ciertas cosas cuando no eres más que una sombra.

—Gracias por esperarme —le susurré a la doctora—. Me dio mucha alegría verla.

—Y a mí verte a ti.

—¿De verdad? ¿Se alegró de verme?

—No sé por qué te sorprende tanto. Tengo sentimientos, ¿sabes?, aunque a veces no lo demuestre. Tiendo a ser reservada... y, sí, a veces, también soy... ¿qué fue lo que me llamaste una vez?... fría como el hielo —soltó una risita, la primera que le oía—. Deberías conocer a mi madre. Ella formaría carámbanos en el infierno.

Eso quería decir que no era huérfana.

—¿Su madre vive aún?

—Supongo. No he vuelto a saber de ella desde que le anuncié mi intención de estudiar medicina —

la doctora se reclinó en el asiento, con los ojos cerrados y la cabeza apoyada en el respaldo—. Me he imaginado a menudo yendo a casa, con mi maletín de doctora, y que mi madre, esperándome en el porche, me decía: "¡Qué orgullosa estoy de ti, hija mía. Vamos a celebrarlo con pasteles y limonada". Pero eso no pasará nunca. Mi madre nunca cambiará de forma de pensar.

Qué extraño se me hacía que la estirada señorita doctora deseara lo mismo que yo.

—Pensar que una mujer no debe ejercer la medicina porque es mujer —continuó— es intolerable, absurdo y desfasado. Pero por no tener que enfrentarme a esa forma de pensar, a veces me entran ganas de darme por vencida.

—¡Pero le ha costado mucho llegar a ser doctora!

—Sí, y doctorarme ha sido lo único que he sabido hacer. ¿A qué voy a dedicarme ahora?

—Puede ser pedigüeña, trilera o carterista.

Me miró como si me hubiera vuelto loca.

—¿Qué sabes tú de pedigüeños, carteristas y demás?

—Después de morir mamá, pasé un tiempo en la calle. Había montones de niños durmiendo allí. Estuve una temporada con ellos, hasta que me pescaron y me mandaron al orfanato. Y ellos eran eso: pedigüeños, trileros y carteristas. Melvin era un trilero. Un timador. Ya sabe, uno de esos de las apuestas con trampa: tres cáscaras de nuez y un guisante que nunca aparece donde el primo cree que está.

Sacudió la cabeza pero no dijo nada.

—Fue Melvin quien me dijo que los orfanatos enviaban huérfanos en trenes al oeste para venderlos a familias que querían esclavos.

—Nunca hubiera imaginado que tuviste que dormir en la calle o mendigar comida —dijo—. No lo sabía. ¿Y de verdad creías que te íbamos a vender? —volvió a sacudir la cabeza—. ¡Cuánto miedo habrás pasado!

—Lo he pasado, sí, pero no debería haber creído a Melvin. No se puede confiar en los trileros. Después he podido ver por mí misma que no toda la gente que quiere huérfanos los quiere para tener criados baratos... Y sé que usted hizo por mí todo lo que pudo. Usted no tiene la culpa de que nadie me quiera.

Nos quedamos calladas. Pensé que la doctora se había dormido, pero dijo:

—He recibido un telegrama del señor Szprot. Herman ya se ha escapado de su nuevo hogar.

Hermy Navaja. Había vuelto con los Casca Cocos sin perder un segundo. A algunas personas no hay forma de hacerles comprender lo que es una familia.

La doctora se había dormido. Yo estuve largo rato mirando por la ventanilla, aunque no podía ver más que el reflejo de mi cara. Cada vez nos acercábamos más a San Francisco. Me imaginé caminando hacia la puerta de la escuela de oficios, dejando atrás a la doctora. Podía imaginar esa puerta, tan claramente como si la estuviera viendo, pero no podía imaginar lo que me esperaba al otro lado.

Al día siguiente llegamos al Valle de Sacramento. Los riscos de las montañas y los altísimos abetos desaparecieron y el valle se extendió vasto y verde, con campos arados y una explosión de flores sobre el suelo y los árboles. ¿Podía ser ésta la misma estación que dejé en Chicago? ¿El mismo país? Me sentí como la Bella Durmiente o como Rip Van Winkle: me había quedado dormida en el invierno de Chicago y despertaba en la deslumbrante primavera de California.

El sol bailaba y centelleaba sobre las ventanillas. Pensé que a mamá le hubiera gustado esto, que aquí no hubiera pasado frío nunca más. "Siéntate al sol, Rodzina —solía decir—, te pondrá rosas en las mejillas". ¿Y a papá? Casi podía oírle: "Esta nueva tierra... tan grande. Creo que aquí sí habrá lugar para un poeta polaco".

California era grande, sí, y además estaba vacía. Seguro que si había lugar para un poeta polaco, también lo habría para una doctora. Ella iba a encontrar trabajo. Estaba segura. Yo pasaría los días fregando los cacharros de unos y planchando los cuellos almidonados de otros, y nadie me querría... nunca. La señorita Merlene había encontrado el modo de salir de la lavandería pero, por lo visto, yo no lo iba a encontrar.

El tren se detuvo para cenar en la estación de Sacramento. Había caído la noche, pero la temperatura era suave, y el aire olía a río y a flores.

Cenamos en la cantina por sólo veinticinco centavos cada una. En todas las mesas había un jarrón azul con narcisos. Los camareros eran rápidos y educados, pero raros: tenían ojos estrechos y alargados, y llevaban camisas largas y pantalones holgados. La doctora me dijo que eran de China. ¡China! Eso todavía estaba más lejos que Chicago; o que Polonia.

Una mujer sentada a otra mesa gritó: "¡Doctor!". La doctora se dio la vuelta para mirar, pero la mujer estaba saludando con la mano a un caballero corpulento con sombrero de paja.

—Qué raro me parece —le dije a la doctora— que digan doctor.

Ella me sonrió. Después de cenar, leyó un telegrama que la esperaba en el despacho de la estación; lo leyó con rapidez y se lo metió en el bolsillo de su polvoriento traje. De vuelta en el tren, nos preparamos para pasar la noche.

—Buenas noches, Rodzina —me dijo; pero lo dijo haciendo ese sonido entre D, G y Z que yo creía que sólo las bocas polacas podían hacer. Ella contempló mi cara de asombro y sonrió otra vez.

—He estado ensayando.

Seguimos viaje a San Francisco, entre traqueteos y bamboleos. Mis cavilaciones no me dejaban en paz, así que traté de aclarar algunas de ellas. Durante más de una hora consideré y deseé y, finalmente, respiré hondo dos veces, me estiré mentalmente las medias y hablé:

—Señorita doctora, tengo que decirle algo. Me gustaría quedarme con usted en vez de ir a la escuela de oficios.

Ella abrió la boca para hablar, pero no la dejé.

—¡Escúcheme, por favor! He pensado mucho en ello. Es una buena idea. Nos hemos acostumbrado la una a la otra, y...

—Rodzina, yo no puedo...

Estaba lo suficientemente desesperada como para contradecirla.

—¡No diga que no puede! ¡Sí que puede! No quiero ir a esa escuela. Quiero quedarme con usted.

La doctora no dijo nada, y mi corazón y mis esperanzas se tambalearon.

—¿Señorita doctora? —dije un momento después—. ¿Qué le parece?

Sacudió la cabeza.

—Tendría que considerar muy seriamente las responsabilidades que implica adoptar a un niño, tener que mantenerlo y educarlo. Y además tendría que consultar al agente de colocación de Chicago. Llevaría tiempo.

—No *tenemos* tiempo —mi voz se volvió aguda y lloriqueante cuando empecé a temer que no la convencería—. Mañana llegaremos a San Francisco, y la escuela de oficios me tragará como un pollo se traga una lombriz.

—No sé si funcionaría. No siempre nos hemos llevado bien, y yo a veces no te gustaba nada.

—Eso es porque usted y yo, doctora, somos muy diferentes, pero eso puede ser bueno. Y en muchas cosas nos parecemos. Usted quizá no lo sepa pero yo sí —sequé el principio de unas lágrimas con mis puños—. Podemos ser una familia, doctora, usted y yo.

Esperé que dijera algo.

Ella me miró a los ojos.

—Es cierto que si no estuvieras a mi lado te echaría de menos, y tengo serias dudas sobre lo de dejarte en esa escuela.

Guardó silencio un momento, mientras yo contenía la respiración.

—Quizá podría salir bien —dijo al fin, y yo volví a tomar aire con una gran bocanada—. No será fácil, Rodzina. Las dos somos cabezotas y tenemos malas pulgas.

¿Cabezota y con malas pulgas? Allí y entonces me sentí tan dócil y obediente como la crema de chocolate. Aún así, entendí lo que quería decir.

—¿Pero podemos intentarlo?

—Sí, lo intentaremos. Las dos; con mucho tesón.

Sonreí y ella me devolvió la sonrisa. Sus ojos grises, detrás de los lentes, eran tan suaves como la piel de un gatito, tan dulces como la bruma de las montañas.

—¿Señorita doctora?

—Si vamos a formar una familia, quizá deberías llamarme por mi nombre.

No sabía cómo se llamaba. Nunca me había preocupado por saberlo. Bajando la cabeza, dije:

—No sé su nombre.

—Catriona Anabel Wellington. No es tan elegante ni tan largo como el tuyo, pero en fin...

—Bastará. ¿Puedo llamarla doctora Cat?

—Puedes.

—Bueno, entonces, doctora Cat, ¿qué va a hacer en California? ¿Qué *vamos* a hacer? Quizá yo podría trabajar en...

Ella se inclinó hacia mí y me tomó de la mano. No sabría decir qué me sentí más: si feliz o sorprendida.

—El telegrama de Sacramento era la respuesta a todos los telegramas que he mandado desde California. Al fin. El profesor Meyers de la nueva universidad de Berkeley me dice que una pequeña población se está congregando a su alrededor y que necesitan un doctor. Incluso una doctora. Podremos instalar nuestro hogar allí —me miró muy de cerca.— Tendremos que esforzarnos un poco pero nos esforzaremos juntas. Además, hay un instituto.

Sonreí con una sonrisa tan grande que me dolieron los labios. Me apoyé sobre el hombro de la doctora Cat, pero no pude dormir. Era tan feliz que sentía como música en la cabeza.

—Edgar Allan Poe —la oí decir.

Desconcertada, miré hacia ella bajo la débil luz de gas.

—Poe —repitió—. Era huérfano y llegó a ser un poeta famoso; y el novelista León Tolstoy también; y estoy segura de que me acordaré de más si me lo propongo.

—No hace falta, doctora Cat —dije—. Con dos ejemplos me basta.

Dos huérfanos, dos escritores, y uno de ellos poeta. Y tenía una familia e iba a ir al instituto. Quizá, después de todo, no todos los huérfanos acabaran mal.

Muy de mañana, el revisor nos despertó.

—Estamos llegando a la estación de Oakland, guapa —me dijo.

¿Guapa? Me volví a mirar mi reflejo en la ventanilla. No, en realidad no era guapa. Era más que eso: me parecía a papá.

Me di cuenta de que estaba lloviendo.

—No se preocupen —comentó el revisor—, la lluvia de California es como el baile de una viejecita: dura poco.

Tenía razón. Cuando llegamos a la estación de Okland, había dejado de llover y, al bajar del tren, nos recibió el resplandeciente sol de California.

GUÍA DE PRONUNCIACIÓN

Ésta es, de modo aproximado, la pronunciación de las palabras polacas incluidas en el libro, y su traducción:

chuligan	ju-lí-gan	bravucón, chuleta
kapusta	ca-pús-ta	col
kietbasa	kiu-béi-sa	salchicha
klops	clops	torta de carne, albóndigas
kopciuszek	cop-chú-sehk	esclavo, fregona
kopytka	co-pít-ca	bola de masa con patata
tajdak	guá-doc	villano
osiot	oú-shou	macaco
paczki	poún-chqui	rosquilla
pan	pajn	señoría, señor, maestro
panna	pánnia	señorita
psiakrew	shá-kref	¡sangre de perro! (juramento)
rodzina	rou-djzhí-na	familia
sto lat	stoj lat	cien años
swinia	shví-nia	cerdo
ztoty	súo-ti	unidad monetaria

Nota de la autora

Los trenes de huérfanos existieron en la realidad. Entre 1850 y 1929, cerca de 250.000 niños pobres de los barrios bajos de ciudades del este de los Estados unidos fueron enviados al oeste y, hacia finales de siglo, al medio oeste. Estos niños habían vivido en las calles o en orfanatos abarrotados. La mayoría eran huérfanos; otros habían sido abandonados, desatendidos o cedidos por padres desesperados. Se pensaba que el aire limpio y el trabajo duro del oeste podían ofrecer a los niños la oportunidad de llevar vidas felices y provechosas.

La agencia más famosa "de colocación" fue la Asociación de Ayuda para los Niños de Nueva York, fundada en 1853 por un joven pastor metodista llamado Charles Loring Brace. No le satisfacían las opciones de los niños sin hogar. En esa época, podían ser llevados ante un juez y asignados a familias de la localidad a cambio de trabajar para ellas; un sistema que dio lugar a muchos abusos. Los orfanatos, de reciente creación, eran pocos. Había algunos estrictos pero buenos, que exigían mucho a los niños pero les proporcionaban a cambio comida, cama y, a veces, la enseñanza de un oficio; sin embargo, la mayoría eran lugares de desdicha donde se desatendía, se amedrentaba y se maltrataba a los niños. Las casas ocupacionales ofrecían alojamiento y comida a niños y adultos a cambio de trabajo en fábricas o lavanderías. No había bastantes instituciones para albergar a todos los niños sin hogar y, a consecuencia de ello, se encarcelaba a los menores por el "crimen" de no tener casa.

Brace desarrolló un plan que les proveía de autosuficiencia y de un hogar. Un informe publicado en 1853 sobre la actividad de la Asociación de Ayuda para Niños afirmaba que: "Los niños sin hogar puestos a nuestra disposición, se encuentran acogidos en hogares confortables, con todas las ventajas y oportunidades que ofrece la vida en las granjas del oeste". Eso era cierto quizá, pero sólo para algunos. No todos eran tan afortunados.

La Asociación de Ayuda para Niños se creó con donativos de particulares, iglesias y organizaciones de caridad, que cubrían los gastos de ropa, alimentación y transporte de los niños, así como el salario de sus acompañantes. Los seleccionados (niños de dos a catorce años de edad, aproximadamente) eran sacados de las calles o de las instituciones en que fueron abandonados o cedidos por sus padres. Se les bañaba, se les ponía ropa nueva y se les mandaba en trenes rumbo al oeste. No se llevaba a niños inválidos o que tuvieran enfermedades contagiosas o algún tipo de desfiguración. Casi todos eran blancos y cristianos y, por ello, la mayoría encontraba un nuevo hogar.

El viaje era difícil para los niños: abandonaban sus familias, sus amigos y su hogar, y se encaminaban a un destino desconocido. Viajaban apesadumbrados y confundidos. Los vagones se llenaban de sus lamentos, aunque la mayor parte de ellos dijera después que había tenido demasiado miedo o demasiada hambre para llorar.

En determinadas paradas, se alineaba a los niños para que los interesados pudieran verlos. Muchos recuerdan que se sintieron como ganado al ser examinados por los posibles padres: les miraban los dientes y les palpaban los músculos para asegurarse de que eran lo bastante fuertes como para trabajar.

Algunos niños eran bien recibidos por sus nuevas familias y los pueblos donde éstas vivían, pero a otros se les despreciaba o eran maltratados, golpeados o ignorados. La gente no se fiaba, en general, de esos jóvenes mal alimentados con acentos extraños; temían que hubieran heredado la "mala sangre" de sus inadecuados o desafortunados padres. Había niños que deambulaban de casa en casa, en su intento por encontrar alguien que les quisiera. Muchos se fugaban. Algunos reaparecían en las calles o en las instituciones de las que habían partido.

Hubo intentos de seguir la evolución de los niños en sus nuevas familias. Se escribieron numerosos informes sobre ellos, pero sólo contenían su edad, su lugar de origen y el lugar donde fueron dejados. No decían si su colocación había sido un éxito o no, si sus padres estaban satisfechos de su elección, si los niños eran felices, si estaban bien alimentados o si eran explotados. ¿Se acordaba alguien de donde estaban? En realidad, sólo los propios niños lo sabían. Las grandes distancias y el escaso número de agentes de colocación, hacían que la Asociación y otras agencias dependieran de la benevolencia de las familias de acogida.

Los trenes de huérfanos dejaron de existir al comienzo de la Gran Depresión. Había nuevas dudas acerca del valor del trabajo duro de los niños, decrecía la necesidad de trabajadores para las granjas y disminuía el número de familias que podían permitirse alimentar otra boca. Además, los nuevos programas sociales potenciaban el uso de dinero público para ayudar temporalmente a las familias con problemas, procurando así mantenerlas unidas.

Algunos miembros de la última generación de huérfanos viajeros tienen ahora entre setenta y ochenta años. Su información de primera mano sobre dichos viajes y otro muchos datos se encuentran en la página web de la Asociación de Herencia de los Trenes de Huérfanos, cuya dirección de internet es: www.orphantrainriders.com, y en otras direcciones que pueden buscarse por "orphan trains".

La Asociación de Ayuda para Niños no inventó la idea de la "colocación" de grandes grupos de niños. En 1618 doscientos niños ingleses, huérfanos la mayoría, fueron enviados a Richmond, Virginia, para trabajar en las plantaciones. Los niños necesitaban hogares y proveían a los colonos de mano de obra barata. A estos doscientos les siguieron otros cientos más.

A mediados del siglo *XIX*, Gran Bretaña estableció un sistema de transporte para llevar niños sin hogar como "emigrantes" a otros lugares del Imperio Británico. La clase política de este país declaraba que los niños tendrían ocasión de prosperar trabajando en las granjas y que el trabajo duro formaría su carácter. En los ochenta años siguientes, 100.000 niños fueron enviados a Canadá, Australia, Nueva Zelanda, Sudáfrica y las Indias Occidentales; unos pocos viajaron a los Estados Unidos: en 1869 veintiún niños llegaron a Wakefield, Kansas.

En Estados Unidos, a mediados del *XIX*, las políticas oficiales proyectaron "civilizar" a los derrotados Nativos Americanos, lo que incluía la integración de los niños indios en la sociedad de los blancos, retirándolos a la fuerza de la influencia de sus padres y enviándolos a internados situados a grandes distancias de sus familiares. Padecieron graves problemas de añoranza, desesperanza y choque cultural. Muchos murieron en los internados de enfermedades propias de los blancos para las cuales no estaban inmunizados.

En los años anteriores a la Segunda Guerra Mundial, se retomó el sistema de colocación para librar a los niños del gobierno de Hitler. En 1934, los judíos alemanes iniciaron el movimiento Joven Aliyah para rescatar niños judíos. Hasta 1948, desde Europa y los Balcanes, se mandaron unos 30.000 jóvenes (supervivientes del Holocausto en su mayoría) a Palestina.

Desde diciembre de 1938 a agosto de 1939, el gobierno británico abrió sus fronteras a 10.000 niños procedentes de Alemania, Austria, Checoslovaquia y Polonia. Este *Kindertransport*, o trasporte de niños, colocaba a los pequeños en familias de acogida e instituciones, con la intención de devolverlos con sus familias al finalizar la guerra. Los horrores del Holocausto hicieron tomar esas precauciones. Muy pocos de estos niños volvieron a ver a sus padres. En la página web: www.kindertransport.com se puede encontrar más información sobre este tema, así como otras fuentes, incluyendo un documental galardonado cuyo título es *Into the Arms of Strangers* (En brazos extraños).

Después de que Inglaterra entrara en el conflicto en 1939, cesó el transporte de niños desde los países ocupados por los nazis. Sin embargo, más de un millón (entre británicos y refugiados) fueron enviados desde las ciudades británicas consideradas más vulnerables a una invasión o a los bombardeos al campo para vivir en familias de acogida o en orfanatos, o para trabajar en las granjas (lo mismo se hizo en Francia y, más tarde, en Alemania).

También se enviaron miles a otros países de la Commonwealth británica: Canadá, Nueva Zelanda, Australia y Sudáfrica. En el caos de la guerra y la posguerra, los expedientes de los niños solían perderse, estar incompletos o ser falsificados. Los niños llegaban al extranjero sin pasaportes ni historia. A menudo, los padres no volvían a encontrar a sus hijos, y a estos se les decía que sus padres habían muerto. Algunos de los más pequeños no supieron nunca que habían tenido otra vida antes del exilio.

A pesar de las dificultades, estas iniciativas salvaron la vida de miles de niños y les ofrecieron esperanza, oportunidades y una nueva familia. Muchos de los supervivientes, tanto gracias a dichas iniciativas como a las de los trenes de huérfanos, se consideran afortunados; otros, sin embargo, quedaron traumatizados por los malos tratos sufridos. Pero, para casi todos, fue una experiencia ambivalente. Los hermanos solían ser separados, y después se evitaba el contacto entre ellos; los niños de las ciudades debían afrontar duras labores agrícolas para las que no estaban preparados;

muchos eran considerados "diferentes" y, con frecuencia, rechazados; en sus nuevas familias debían hacer frente a la competencia y a los celos; solían crecer convencidos de que no le importaban a nadie, de que no pertenecían a ningún lugar; tenían la lealtad dividida entre sus nuevas y sus antiguas familias; para sobrevivir, debían amoldarse a estar con extraños.

En la actualidad, el concepto de familia es más flexible y, en cualquier caso, a los niños no les interesan las definiciones; lo único que quieren es pertenecer a alguien y sentirse queridos.

Si se desea saber más sobre los trenes de huérfanos, se puede empezar por aquí:

Eve Bunting. *Train to Somewhere*
Annette R. Fry. *The Orphan Trains*
Isabelle Holland. *Journey Home*
Marilyn Irvin Holt. *The Orphan Trains: Placing Out in America*
Joan Lowery Nixon. *The Orphan Train series*
Stephen O'Connor. *Orphan Trains: The Story of Charles Loring Brace and the Children He Saved and Failed*
Orphan Train Heritage Society of America. *Orphan Train Riders: Their Own Stories*
Michael Patrick, Evelyn Sheets, Evelyn Trickel. *We Are a Part of History: The Story of the Orphan Trains*

Michael Patrick, Evelyn Trickel. *Orphan Trains to Missouri*

PBS Television. "The American Experience: The Orphan Trains"

Charlene Joy Talbot. *An Orphan for Nebraska*

Martha Nelson Vogt, Christine Vogt. *Searching for Home: Three Families from the Orphan Train*

Andrea Warren. *Orphan Train Rider: One Boy's True Story*

Andrea Warren. *We Rode the Orphan Trains.*